CWRW CYMRU

Y
GREFFT

Cwrw Cymru

Lyn Ebenezer

Gwasg Carreg Gwalch

© *Testun: Lyn Ebenezer 2006*

Cyhoeddir gan Wasg Carreg Gwalch yn 2006.
Cedwir pob hawl. Ni chaniateir atgynhyrchu na darlledu
unrhyw ran/rannau o'r gyfrol hon,
mewn unrhyw ffurf na modd, heb ganiatâd ymlaen llaw.

Rhif rhyngwladol: 1-84527-035-5

Gwasg Carreg Gwalch,
12 Iard yr Orsaf, Llanrwst, Conwy,
Cymru LL26 0EH.
Ffôn: 01492 642031 Ffacs: 01492 641502
e-bost: llyfrau@carreg-gwalch.co.uk lle ar y we: www.carreg-gwalch.co.uk
Argraffwyd a chyhoeddwyd yng Nghymru.

Cydnabyddiaeth: (cyfeirir at y lluniau yn ôl eu tudalennau)

Amgueddfa Werin Cymru:
7, 23, 57, 59, 69, 91, 95, 110

Casgliad yr awdur: 27, 29,

Gwasg Carreg Gwalch:
13, 14, 15, 17, 19, 20, 25, 30, 33-48, 49, 48, 61, 66, 68, 71, 72, 87, 88, 99, 100, 105,
107, 109, 113, 114

Fferm Fêl y Ceinewydd: 11

Baner ac Amserau Cymru: 51, 52

Brains: 65

W. Alister Williams: 80, 85

Archifdy Gwynedd: 99

Cynnwys

Mae cwrw gwell na'i gilydd,
Er nad oes cwrw gwael,
Ond man lle bo 'nghyfeillion
Mae'r cwrw gore i'w gael.

Dic Jones

Cyflwyniad

Ychydig iawn sydd wedi ei ysgrifennu – yn Gymraeg neu yn Saesneg – ar hanes y diwydiant bragu yng Nghymru. Ar wahân i waith clodwiw gan Brian Glover, yn enwedig ei glasur *Prince of Ales*, mae'r pwnc wedi ei esgeuluso. Mae cyfraniad Brian at ein gwybodaeth am fragu ac am gwrw yn amhrisiadwy a dibynnais lawer ar ei ymchwil ef.

Erbyn hyn dim ond dau fragdy mawr sydd ar ôl yng Nghymru, newid mawr i'r sefyllfa ganrif yn ôl pan oedd bragdy mewn ymron bob tref fawr a dinas. Fe fu cwrw – neu'r dablen, llaeth y fuwch goch neu lys, galwch e'n be fynnoch chi – yn ddiwydiant pwysig ac yn rhan o fywyd bob dydd. Roedd adeg pan fu cwrw yn cael lle mor naturiol ar y bwrdd bwyta â bara menyn a chaws.

Mae'r gyfrol hon yn olrhain hanes bragu, o ddyddiau'r hen Eifftiaid a'r Derwyddon ymlaen. Medd, mae'n debyg, oedd y ddiod feddwol gyntaf, a bu medd yn rhan annatod o hanes Cymru o ddyddiau'r Gododdin ymlaen drwy gyfnod y Tywysogion a'r neuaddau.

Caiff hanes bragu yng Nghymru ei olrhain o'r macsu a fu unwaith yn rhan o waith pob fferm gwerth yr enw, ymlaen at fragdai preifat y tai mawr ac yna'r bragdai diwydiannol a'r angen am gwrw i oeri gyddfau gweithwyr dur a glo. Ac, wrth gwrs, y mudiad dirwest. Anodd credu heddiw mai'r mynachlogydd, ar un adeg, oedd prif fragdai Cymru.

Codir ambell sgwarnog yma ac acw, Er enghraifft, bwriad Arthur Guinness i sefydlu ei fragdy yng Nghymru, a'r honiad mai Cymro wnaeth ddyfeisio Guinness. Mudiad Undeb y Tancwyr wedyn. A dyna i chi fragdy Cic Mul Pobol y Cwm, a gaiff ei ffilmio mewn bragdy go iawn. Ceir hanes y bragdy lleiaf yn y byd ger Aberystwyth. A bragdy yng Nghwm Tawe sy'n bodoli er mwyn coffáu'r canwr Buddy Holly. Bragdy Felinfoel wedyn, a gychwynnodd y syniad o werthu cwrw mewn caniau, y cyntaf yn Ewrop i wneud hynny. A brwydr Aelod Seneddol i adfer Lager Wrecsam.

Syndod, efallai, yw sylweddoli mai pregethwr yr efengyl oedd y tu ôl i Fragdy Buckleys. Mae cwrw o'r enw Reverend James yn dal ar y farchnad. Ac ar un adeg, Wrecsam oedd tre fragu bwysicaf Prydain.

Naturiol, mewn cyfrol fel hon, fydd ehangu'r stori i gynnwys gwirodydd, o fenter wisgi Lloyd Price yn ardal y Bala ddiwedd y bedwaredd ganrif ar bymtheg i wisgi Penderyn heddiw. Rhoddir sylw hefyd i fentrau newydd o gynhyrchu medd, seidr a stowt.

Molwyd a melltithiwyd cwrw yn ei dro gan feirdd a chantorion ar hyd y canrifoedd. Tra oedd T Gwynn Jones yn canu clodydd y Melys Fedd, roedd Lloyd George am sicrhau llais annibynnol i Gymru ar fater gwahardd, neu o leiaf gwtogi, ar werthu cwrw. Yn wir, mynnodd Lloyd George, y Gweinidog Arfau Rhyfel yn 1915 fod Prydain yn ymladd yn erbyn yr Almaen, Awstria a'r ddiod; a chyn belled ag y medrai weld, y gelyn pennaf o'r tri oedd y ddiod. Aeth mor bell â dweud fod y ddiod yn creu mwy o ddifrod yn y rhyfel na holl longau tanfor yr Almaen gyda'i gilydd.

Ceisiais fy ngorau i sicrhau fod y gyfrol hon yn gyfoes. Yn anffodus, mae'n bosibl fod ambell i fragdy a enwir wedi cau naill ai'n derfynol neu

Hen fragdy Llanfair-ym-Muallt

Rhai o fragwyr a distyllwyr Cymru, ddoe a heddiw

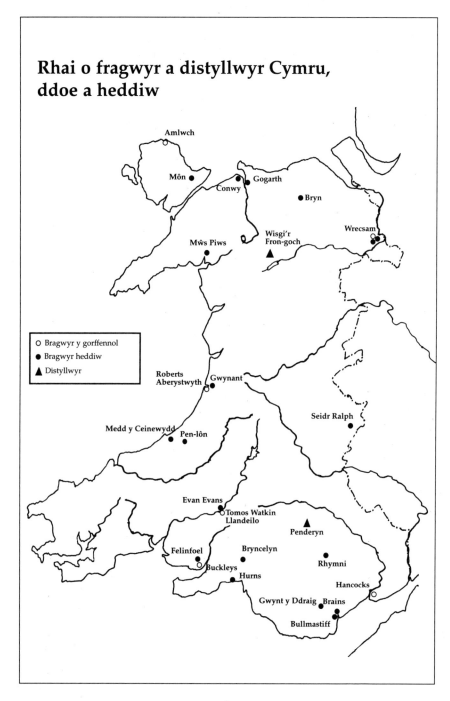

O Bragwyr y gorffennol
● Bragwyr heddiw
▲ Distyllwyr

Amlwch

Môn ●
Conwy ●● Gogarth
● Bryn

Mŵs Piws ●
Wisgi'r Fron-goch ▲
Wrecsam

Roberts Aberystwyth ○● Gwynant

Seidr Ralph ●

Medd y Ceinewydd ● Pen-lôn ●

Evan Evans ●
○ Tomos Watkin
Llandeilo

▲ Penderyn

Felinfoel ●
○ Buckleys
Bryncelyn ●
Hurns ●
Rhymni ●

Hancocks ○
Gwynt y Ddraig ● Brains ●
Bullmastiff ●

Hen lestri yfed seidr

dros dro. Gall fy mod wedi hepgor eraill oherwydd fy anwybodaeth. Defnyddiais wybodaeth o CAMRA ac o restr gwneuthurwyr seidr Cymdeithas Perai Seidr Cymru.

Dyma, felly, hanes bragu yng Nghymru a hanes cynnyrch bragu. I ddyfynnu Llywydd Anrhydeddus Undeb y Tancwyr, 'Fi a Walter Pant y Barlat yn y Bliw Boar. Yfwch lan, bois. Beth yw'r gost lle bo cariad?'

Lyn Ebenezer
Haf 2006

MELYS FEDD

Medd yw'r ddiod feddwol gyntaf erioed i'w chreu gan ddynoliaeth ac mae ganddo hanes sy'n ymestyn yn ôl dros 5,000 o flynyddoedd. Y rheswm dros hyn yw bod mêl yn un o'r elfennau hynny sydd wedi bodoli fel maeth i ddynoliaeth o'r cychwyn cyntaf. Mae medd yn unigryw gan ei fod yn ddiod y werin a hefyd yn ddiod y duwiau. Mewn chwedloniaeth Germanaidd, medd oedd tocyn meidrolion ar gyfer cyrraedd Asgard, gwlad y duwiau. Ac o gyrraedd yno, byddai mwy o fedd yn eich aros. Dyna a yfai Odin, Honir, Loki a Thiassi a'u tebyg. Credai'r Tiwtoniaid fod medd yn deffro'r synhwyrau ac yn gwella pob cur. Yn anffodus, ni fedrai meidrolion fragu medd perffaith. Rhaid, felly, oedd i ddynionach fodloni ar fedd eilradd nes iddynt gyrraedd Asgard.

Yn ei ffurf symlaf, gwin mêl yw medd a gynhyrchir wrth i gynnyrch y gwenyn gael ei gymysgu â dŵr a'i adael i eplesu. Mae'n siŵr mai ar ddamwain y crëwyd y medd cyntaf wrth i ddiferion o law ddisgyn i bot mêl ac yna burum gwyllt yn cael ei chwythu i mewn i'r gymysgedd. Yn hytrach na thaflu'r annibendod ewynnog fe fu rhywun yn ddigon hirben i'w brofi. A hwnnw neu honno, yn ddiarwybod, oedd y tancwr cyntaf – neu'r dancwraig gyntaf – mewn hanes.

Ceir cysylltiad uniongyrchol rhwng medd â dathlu o'r cychwyn cyntaf, yn enwedig dathliadau priodasol cyn y ddefod, yn ystod y ddefod ac wedi'r briodas. Dyna'r ymadrodd mis mêl. Mewn Norseg, defnyddid y gair *hjunottsmanathr* am fis mêl, gair sy'n cyfeirio at yr arferiad yng Ngorllewin Ewrop, yn cynnwys Cymru, o gipio'r ddarpar briodferch a'i chuddio am gyfnod penodol. Ond mewn rhai mannau yn Llychlyn golygai mis mêl y byddai'r pâr priod, am fis cyntaf eu bywyd priodasol, yn yfed cwpanaid o fedd yr un bob dydd. Ac mae'r cysylltiad rhwng cipio'r briodferch ac yfed medd am fis yn cael ei uno mewn arferion a oedd yn fyw yn oes Atilla yn 433 AD hyd 453 AD.

Yn Israel, byddai'n arferiad i'r priodfab a'r briodferch dreulio cyfnod gyda'i gilydd mewn man cuddiedig lle byddent yn yfed diod a elwid cwrw'r briodferch, wedi'i wneud o fêl eplesedig. A dyna ystyr ychwanegol i fis mêl.

Yn y byd Celtaidd, medd oedd y ddiod a deyrnasai uwchlaw'r holl ddiodydd. Mynnai un o hen ddeddfau Cymru fod casgen fedd yn mesur naw maint cledr llaw ac yn ddigon llydan i weithredu fel baddon i'r brenin ac un o'i ymgynghorwyr.

Mae'r cyfeiriadau lu at fedd yng Nghyfraith Hywel Dda yn dangos ei bwysigrwydd o fewn y gymdeithas draddodiadol Gymreig.

Credir fod medd wedi'i gynhyrchu yng Nghymru ers o leiaf 600 OC. Parhawyd y traddodiad wrth i'r Rhufeiniaid, a ddaeth â gwinoedd gyda hwynt, yfed gwin wedi'i felysu neu wedi'i eplesu'n rhannol gan fêl. Medd oedd diod y cestyll a'r llysoedd a bu'n destun teyrngedau lu gan feirdd a chantorion.

Yn wir, mae lle i gredu mai medd oedd asgwrn y gynnen rhwng y Sacsoniaid a'r Brythoniaid. Gan fod y Brython yn medru bragu medd o well safon na'r Sacson, medden nhw, mynnai hwnnw ddial arno drwy ddwyn ei dir a'i eiddo.

Mae'r holl gyfeiriadau a geir at fedd gan y Cynfeirdd, Beirdd y Tywysogion a Beirdd yr Uchelwyr yn adlewyrchu lle'r ddiod yn gymdeithasol. Gan ei fod yn gryf mewn carbohydrad, fe'i yfid gan filwyr er mwyn ychwanegu at eu nerth a'u hadfywiad wedi brwydr. Yn wir, mor bwysig oedd y meddydd, neu'r bragydd medd fel ei fod yn cael ei osod yn unfed ar ddeg yn hierarchaeth swyddogion y brenin, gan fwynhau'r un statws â meddyg y llys. Ceir cerdd sy'n canu clodydd Sycharth, llys Owain Glyndŵr sy'n canmol y bwydydd a'r diodydd a geid yno, 'Bara a chaws, bir a chig'.

Roedd Ynys Môn yn enwog am fedd – yn bennaf am fod cynifer o lysoedd a chartrefi beirdd wedi'u lleoli ynddi, yn eu plith Aberffraw, Rhosyr, Dulas, Gwalchmai, Trefeilyr a Llanfihangel Tre'r-beirdd. Ac mae arwyddocâd arbennig, wrth gwrs, i Lannerch-y-medd.

Ceir cysylltiad clos rhwng medd a brwydr Catraeth wrth i Fynyddog Mwynfawr ddarparu'r ddiod i'r tri chant o filwyr. Cawsant lowcio medd am flwyddyn cyn i'r milwyr drengi yn y frwydr ar ôl brwydro'n ddewr yn erbyn byddin lawer mwy. Tybed ai at fedd ifanc yn hytrach nag at feddrod ifanc oedd Aneirin yn cyfeirio wrth ysgrifennu 'Glasfedd eu hancwyn'?

Câi milwr da ei ddisgrifio fel un oedd wedi talu am ei fedd, neu fel un a oedd yn werth ei fedd. Cymharer hyn â'r ymadrodd 'gwerth ei halen'. Mae hwnnw'n deillio o gyfnod y Rhufeiniaid, pan wobrwyid milwyr mewn halen. O'r arferiad hwnnw (ac o'r gair Lladin am halen, a roddodd i'r Saesneg y gair *salt*) y tarddodd y gair *salary*.

Ond ar un adeg, testun gwg oedd medd cryf. Ystyrid meddwi ar fedd fel rhywbeth niweidiol iawn i'r corff ac i'r enaid ac ni fyddai sobri am ddyddiau lawer. Dywedir hefyd mai un o effeithiau goryfed medd oedd y tueddiad i bwyso'n ôl a cherdded wysg y cefn. Mewn erthygl yn *Yr Haul*, Cylchgrawn yr Eglwys yng Nghymru ym mis Gorffennaf 1932 dywedodd Evan Roberts o Landderfel:

' ... medd-dod ofnadwy o niweidiol oedd meddwi ar fedd, a meddwi ydoedd nad oedd sobri ar ei ôl am ddyddiau lawer. Heblaw hynny, roedd ei effaith ar gydbwysedd y corff yn dra gwahanol i feddwi â chwrw. Pan feddwir ar gwrw, pwyso ymlaen a wneir, nes bod y meddw yn mynd ar ei ben, ond pwyso yn ôl yr oedd y medd, a'r meddw hwnnw yn gorfod mynd 'wysg ei gefn' er pob ymdrech i fynd ymlaen.'

Roedd gan Evan Roberts, gyda llaw, reswm arall dros felltithio medd. Drwy wneud hynny, gwnâi i gwrw ymddangos yn llai peryglus. A châi cwrw ei fragu gan yr eglwys.

Bwriad y mudiad dirwestol, wrth gwrs, oedd gwahardd pob diod feddwol. Ond am ryw reswm anesboniadwy, ni châi medd ei felltithio i'r un graddau â diodydd meddwol eraill gan ddirwestwyr ar y cyfan. Yn ei gyfrol *Life and Tradition in Rural Wales* dywed J. Geraint Jenkins na ystyrid medd fel un o'r saith pechod marwol. Mae'n mynd ymlaen hefyd i esbonio gwneuthuriad medd, a hynny ddiwedd haf. Dyma gyfieithiad:

'Cynhwysion medd oedd crwybrau (neu ddiliau mêl) gyda'r mêl wedi ei dynnu, dŵr oer, hopys a burum. Arllwysid dŵr oer ar y crwybrau. Yna gadawyd i'r gymysgedd fwydo dros nos. Trannoeth câi ei hidlo drwy hidlydd mân i mewn i foeler i'w ferwi'n araf iawn. Câi

12

Diliau mêl yn Fferm Fêl y Ceinewydd, y prif gynhyrchydd medd yng Nghymru heddiw.

wyneb yr hylif ei sgimio'n rheolaidd, ychwanegid llond dwrn o hopys, ac ar ôl berwi am chwarter awr arall, gadewid i'r hylif oeri i dymheredd gwaed. Yna fe ychwanegid peint o furum bragu a'i adael am rai oriau. Fel arfer, câi'r medd ei botelu mewn llestri neu grochanau caled y byddai angen eu claddu mewn cae corsiog am o leiaf chwe mis cyn iddo gael ei ystyried yn addas i'w yfed.'

Er i fedd golli ei boblogrwydd i ddiodydd meddwol eraill, llwyddodd i oresgyn. Ac yn wir, ceir arwyddion ei fod yn adennill ei apêl a'i boblogrwydd gyda mwy a mwy yn bragu medd ar gyfer Sioe Fawr Llanelwedd yn flynyddol. Ymddengys ei fod yn mwynhau cyfnod o adferiad, yn enwedig yn y gwledydd Celtaidd, ac yn arbennig felly yng Nghernyw. Hybwyd yr adfywiad pan agorwyd Fferm Fêl y Ceinewydd yn 1995 ac erbyn hyn mae'r fenter yn ffynnu. Yno parheir y cyswllt â'r gorffennol wrth gynhyrchu medd sydd wedi ei eplesu'n naturiol mewn medd-dy a adeiladwyd yn arbennig ar gyfer y gwaith. Eplesir y mêl ar y tymheredd cyffredin a geir yn yr haf er mwyn cadw blas y mêl ffres drwy'r broses hyd at y cynnyrch terfynol. Yna cedwir yr hylif mewn casgenni derw am rhwng tri a chwe mis. Anelir at gynhyrchu gwin mêl sy'n meddu ar sawr a blas cymhleth sydd hefyd yn cadw blas a daioni mêl pur.

Cynhyrchir y medd fel medd mêl pur ond cynigir amrywiaeth hefyd drwy ychwanegu sudd gwahanol ffrwythau at y medd crai i greu gwinoedd blasus. Y canlyniad yw gwin o fath modern gyda blas unigryw sy'n ail-greu'r traddodiad o'r Tywysogion Cymreig, y neuaddau medd a barddoniaeth Gymraeg yr Oesoedd Canol.

Cynhyrchir hefyd gwrw mêl yn y dull traddodiadol, gan adfer yr hen draddodiad o hybu blas a chryfder y cwrw. Er mai ychydig iawn o fêl a ddefnyddir i'r pwrpas, mae'n ychwanegu cyflas ysgafn i'r cwrw. Ond nid yw'r cwrw, o'r herwydd, yn felys.

Erbyn hyn mae Fferm Fêl y Ceinewydd wedi datblygu i fod yn ganolfan sy'n arbenigo ar fêl yn ei holl agweddau lle caiff ymwelwyr eu hannog i fod yn llygad-dystion i'r gwahanol brosesau a weithredir gan ddyn a chan wenyn fel ei gilydd.

Medd grug yn Fferm Fêl y Ceinewydd

Canmolodd Guto'r Glyn a Gutyn Owain a nifer o feirdd eraill y cwrw, y gwin a'r lletygarwch a gaent yn Abaty Glyn y Groes a mynachdai eraill.

Pennod 2

CWRW'R BYD A'R BETWS

Pan gyfeirir at gwrw cartref, y dybiaeth yw mai yn y cartref yn unig y'i bragid. Ond na, byddai sefydliadau crefyddol yn bragu hefyd. Dywed chwedloniaeth i Sant Kevin o Glendalough (498-618) yn Swydd Wicklow yn Iwerddon unwaith droi dŵr yn gwrw drwy wyrth. Ni wna na hanes na chwedloniaeth briodoli ei hirhoedledd i rinweddau cwrw, ond bu fyw nes oedd e'n 120 mlwydd oed.

Ar y Cyfandir, mor bell yn ôl ag 800 OC, argymhellai'r mynachlogydd ddognau penodol o gwrw a gwin i'w hyfed. Roedd Sant Bened o Aniane yn gosod canllaw ar gyfer y mesuriadau o gwrw a oddefid yn ei dai crefyddol sef dwywaith gymaint ag a ganiateid o win. Ac ar ddyddiau ympryd câi bara a halen eu cymryd gyda dŵr neu gwrw. Yng Nghyngor Aix Chapelle yn 813 caniatawyd i'r canoniaid bedwar litr o gwrw'r dydd tra bod rhai lleiandai'n caniatáu i'w lleianod gymaint â saith litr y dydd.

Yn Ffrainc yn arbennig roedd bragu cwrw a gwneud gwin a gwirodydd yn ddiwydiant mynachaidd, mor naturiol â gwneud caws

15

neu fara, tra bod gwneud seidr yn waith bob dydd yn ne'r wlad. Roedd y bragdy yn rhan mor naturiol o'r fynachlog â'r gegin neu'r popty. Cam naturiol oedd troi'r bragu a'r distyllu yn fusnes. Mewn un ardal yn y Swistir safai tri bragdy o fewn dalgylch deddfwriaethol un fynachlog gyda dim ond un ohonynt yn darparu ar gyfer y gymuned ei hun. Yn gysylltiedig â'r bragdai roedd tŷ brag a stafell oer ar gyfer eplesu. Yn wir, ceid cystadleuaeth am y cwrw gorau rhwng mynachlogydd â'i gilydd. Mynachod fu'n gyfrifol am ddatblygu cwrw'n cynnwys hopys.

Priodolir i'r mynachod hefyd y ddyfais o'r cerwyn dwbl, a olygai ddyblu'r trwyth stwnsh. Yr ail drwyth fyddai'n cynhyrchu'r cwrw bach, fel y'i gelwid, ar gyfer y myfyrwyr, y pererinion tlawd a'r lleianod. Dengys cloddio olion cerwyn o'r fath, ynghyd â chanolfan prosesu grawn ym mynachlog Castle Acre yn Norfolk ynghyd â thŷ brag. Ceir tystiolaeth hefyd fod unarddeg o'r dwsin o fynachlogydd yn Swydd Efrog yn cynnwys bragdai, a hynny mewn rhai enghreifftiau o fewn i'r fynachlog ei hun.

Yng Nghymru byddai'r mynachlogydd yn y 11eg a'r 12fed ganrif yn bragu'n helaeth. Yn Abaty Llanddewi Nant Hodni byddai'r mynachod yn bragu ar gyfer eu hanghenion eu hunain ac er mwyn torri syched teithwyr. Yno y cychwynnwyd marcio casgenni cwrw â chroesau i ddynodi gwahanol gryfderau'r amrywiol fragau. A cheid canllawiau pendant ar gyfer yfed. Byddai mynachod fyddai'n slochian wrth ganu yn gorfod mynd heb eu swper. Mae'n werth nodi fod tafarn i'w chanfod o hyd o fewn muriau Abaty Llanddewi.

Yn wir, prin fod unrhyw sefydliad mynachaidd heb fod yn bragu yn y cyfnod. Yn y Priordy yng Nghaerfyrddin ceid bragdy rhwng y gegin a'r bwtri. Cwrw gwan gâi'r teithwyr a alwai yno tra cedwid y cwrw gorau a'r cryfaf ar gyfer yr Abad a'r mynachod uchaf yn y drefn fynachaidd.

Yn ei gyfrol ar y Sistersiaid yng Nghymru dywed David H Williams fod bragu'n digwydd yn Ystrad Fflur, Maes Glas a Margam. Roedd gan bob abaty gweddol o faint ei fragdy ar gyfer cynhyrchu cwrw o amrywiol raddau, meddai, a oedd yn ddefnyddiol ar gyfer yfed dyddiol y cymunedau. Ond dywed fod y cynnyrch hefyd ar werth. Roedd Margam yn cynhyrchu 'cwrw cryf' tra bod Tyndyrn yn cynhyrchu 'cwrw gwell'. Yn wir, mae'n rhaid bod hyd yn oed y gwaelodion yn dda gan i rywun eu dwyn unwaith. Atgoffir ni gan yr awdur hefyd am y cerddi mawl gan feirdd i seidr a medd a chwrw a gynhyrchid yn Ystrad Marchell. Gwerthid cwrw Abaty Maes Glas yn Nhreffynnon ac o fewn i Abaty Penrhys safai tafarn tra oedd un hefyd o fewn i Abaty Ystrad Fflur. Câi grawn ei falu yn Hendygwyn ar Daf ac yn Vale Royal yn Swydd Caer.

Yn Nhyndyrn codid chwe cheiniog ar denantiaid a oedd am werthu

Y Gegin Fawr, Aberdaron

nwyddau, ond yn achos gwerthu cwrw câi'r gost ei dyblu. Yn Nhyndyrn hefyd rhestrir cyfenw un tenant fel 'Beremaker'.

Ceir cofnod diddorol am ddigwyddiad yn Ystrad Fflur yn 1195. Yn dilyn cythrwfl meddw rhwng criw o frodyr lleyg yr abaty a'u cymheiriaid yn Abaty Cwm Hir, alltudiwyd brodyr euog Ystrad Fflur i Clairvaux yn nwyrain Ffrainc am gyfnod. Roedd Clairvaux yn ferch eglwys i Citeaux tra'n fam eglwys i Hendygwyn ar Daf, a honno'n ei thro yn fam eglwys i Ystrad Fflur. Yn ôl y cofnodion, roedd y brodyr yn 'anobeithiol o feddw'. Gorchmynnwyd iddynt deithio ar draed yr holl ffordd i'r porthladd perthnasol, hwylio i Ffrainc ac yna cerdded ymlaen eto i Clairvaux.

Rhaid bod meddwi ymhlith y brodyr lleyg yn rhywbeth gweddol gyffredin gan i gwrw gael ei wahardd yn fuan wedyn o holl ffermydd mynachlogydd Cymru. Hyd yn oed gyda difodiant y mynachlogydd, ac ymgais y Normaniaid i boblogeiddio gwin a seidr, fe wnaeth y werin lynu at gwrw.

Erbyn heddiw cyfyngir bragu mynachaidd, sy'n cael ei adnabod fel cwrw Trapaidd, bron yn gyfan i Wlad Belg a'r Iseldiroedd, lle bragir mewn chwech o drefi gwahanol.

Ceir enwau tafarndai ledled Cymru sy'n adlewyrchu eu cysylltiad â phererinion a fyddent yn teithio llwybrau'r mynachlogydd. Yn ei gyfrol, *Enwau Tafarnau Cymru* mae gan Myrddin ap Dafydd enghreifftiau niferus o enwau tai potes sydd â chysylltiadau crefyddol. Ceir rhai ohonynt ar y llwybrau i Enlli a Thyddewi. Mae'r Gegin Fawr yn Aberdaron heddiw yn gaffi a siop, ond yno y byddai pererinion ar eu taith i Enlli yn disgwyl y cwch o Borth Meudwy i'w cludo ar draws y swnt. Mae tafarn Beuno Sant yng Nghlynnog Fawr yn nodi cysylltiad arall rhwng tafarnau a llwybr y pererinion.

Yn Nhyddewi mae'r City Inn yn adlewyrchu'r ffaith fod y pentref bach â'r hawl i alw'i hun yn ddinas. Tafarndai eraill sy'n cadw'r cysylltiad mynachaidd yn fyw yw'r Mynach yng Nghribyn, Tafarn yr Eglwys ym Merthyr Tudful a'r Angel, sydd y drws nesaf i'r eglwys yn Nhrefynwy. Mae tafarndai'r Cross Keys yn arddel arwydd Sant Pedr ac yn gysylltiedig â theuluoedd Pabyddol megis teulu'r Penrhyn ger Llandudno ac mae tafarndai sy'n dwyn yr enw yr Oen, fel sy yn Llangeler, a'r Lamb and Flag wedyn wedi eu henwi ar ôl yr *Agnus Dei*, (Oen Duw). Mae'r enw Saracen's Head yn dwyn ar gof y Croesgadau tra bod y Saith Seren yn ein hatgoffa fod saith seren yng Nghoron Mair. Mabwysiadwyd y symbol yn ddiweddarach gan y Seiri Rhyddion.

Ceir dwsinau o dafarndai'n dwyn enw'r Groes, ac mae i'r rhain gysylltiadau crefyddol amlwg. Yn aml iawn, cyd-ddigwyddiad yw'r ffaith fod nifer o'r rhain wedi eu lleoli ar groesffyrdd. Y gwir reswm dros y fath enwau yw bod croesau yn cael eu codi mewn mannau lle byddai ffyrdd yn cwrdd er mwyn estyn cysur i bererinion a theithwyr cyffredin. Ganrifoedd yn ôl byddai rhai tafarndai yn eiddo i eglwysi, a byddai'r tafarndai eglwysig hyn, fel y mynachlogydd, yn bragu eu cwrw eu hunain. Yn wir, defnyddid deddfau'r degwm er mwyn sicrhau grawn ar gyfer bragu. Roedd tafarn yr Oen yn Aberteifi yn eiddo i Eglwys Mair, a safai gynt ger porth yr eglwys.

Byddai'r tafarndai hyn hefyd yn fannau cyfarfod lle cynhelid llysoedd barn a chyfarfodydd talu'r rhent a degwm. Yn y Sarjeant's Inn yn Eglwyswrw mae'r bar a'r siambr lle cynhelid y llys barn o dan yr un to gyda drws yn arwain o'r naill i'r llall. Fel y gwelsom eisoes, byddai rhai eglwyswyr pybyr yn brolio'r ffaith fod eu cwrw yn un ysgafn a'i fod yn ddewis amgen i ddrygioni'r medd. Nid yn ddamweiniol y ceir cymaint o dafarndai yn sefyll gerllaw eglwysi. Bodolai perthynas naturiol rhwng y ddau le. Yn Llanelian ger Bae Colwyn mae'r fynwent a'r dafarn yn siario wal, ac mae'n amhosibl mynd drwy borth y fynwent heb groesi trothwy'r dafarn. Yn Llanwynno, rhwng Pontypridd a'r Rhondda, yr unig adeiladau yn y Llan yw'r eglwys, lle gorwedd Guto Nyth Brân, a thafarn Brynffynnon.

Yn Ysbyty Ifan a Llangybi, arferai dwy dafarn wynebu eglwysi. Yn y naill gallai addolwyr yfed yn y cyfrwy cyn mynychu'r eglwys ac roedd twll yn wal allanol y dafarn lle gallai'r yfwyr adael eu gwydrau gwag.

Mae'r gair Llan ei hun wedi goroesi mewn enwau tafarndai, fel Pen Llan yng Nghapel Garmon a Thy'n Llan yn Llandrillo a Llandwrog.

Tafarn y Cross Keys, Ochr y Penrhyn – arwydd Sant Pedr, y Pab cyntaf oedd yr allweddau croes. Mae tafarnau sy'n dwyn yr enw hwn yn aml yn dyddio'n ôl i gyfnod y gwrthdaro crefyddol yn dilyn y Diwygiad Protestanaidd. Mae'r dafarn hon yn atgof o ddylanwad teulu Pabyddol Neuadd y Penrhyn gerllaw a noddodd wasg anghyfreithlon mewn ogof yng nghreigiau Rhiwledyn ar ddiwedd y 16eg ganrif.

Golygai 'Llan' lawer mwy na'r eglwys. Cynhwysai hefyd y siop, y gweithdai a hyd yn oed mannau ymgiprys mewn bocsio ac ymladd ceiliogod. Yn Llanystumdwy a Llanarmon ceir darnau o dir a elwir Maes y Gwaed.

Methodd hyd yn oed y gwahanol ddiwygiadau â newid y drefn. Caniateid lwfans cwrw i bregethwyr teithiol ar gyfer cyfarfodydd misol. Cyfeirid at y Lamb yn Rhaeadr Gwy fel 'tafarn y pregethwr' am fod pregethwyr teithiol yn derbyn croeso yno. Yn wir, cynhelid cyfarfodydd crefyddol mewn tafarndai. Ym Mangor, cynhaliwyd y cwrdd soseieti, neu'r seiat gyntaf, yn y Virgin tavern, neu'r Albion erbyn heddiw. Cynhelid Ysgol Sul yn y Victoria ym Mhorthcawl. Argreffid y cylchgrawn *Y Bedyddiwr* yn seler tafarn yr Halfway ym Mhontllanfraith a phregethodd neb llai na Thomas Charles o'r Bala yn y Prince of Wales yn Nhremadog. Byddai criw o Fethodistiaid a dorrodd yn rhydd oddi wrth y mudiad cyfundrefnol yn cyfarfod yn gyfrinachol mewn tafarn. Mewn rhai ardaloedd trodd tafarndai'n gapeli. Un ohonynt yw Tŷ Newydd yn Abersoch, a gofrestrwyd yn gapel yn 1672. Digwyddodd yr un peth yn y Star ym Mwlch-y-groes yn Sir Benfro. Enghraifft odidog arall yw'r Lewis

Plasty Llanerchaeron, Dyffryn Aeron – cynhelir gwyl fragu yno ac mae hen stafell fragu'r plas i'w gweld o hyd.

Arms yng Nghaerdydd lle, yn 1827, y bu cawr y Bedyddwyr, Christmas Evans yn pregethu. Mae yno lechen yn nodi'r digwyddiad.

Yn y cyfamser, parhau wnaeth yr arfer o fragu cwrw cartref ar yr aelwyd. Ar un adeg roedd bragu cwrw yn y cartref yn orchwyl mor naturiol â chrasu bara neu rostio cig. Ac ystyrid y gwaith hefyd, fel yr ystyrid unrhyw orchwyl yn y cartref, yn waith menyw. Yn y 15fed ganrif, nid gorchwul naturiol yn unig ond un angenrheidiol hefyd oedd bragu yn y cartref. Wedi'r cyfan, roedd dŵr yn llawn bacteria peryglus tra oedd te yn ddrutach na chwrw. Cwrw gwan oedd y cwrw cartref hwn, a adnabyddid fel Cwrw Ceiniog, am mai ceiniog oedd pris galwyn ohono. Câi ei adnabod hefyd fel Cwrw Bach, heb fod yn gryfach na 2% neu 2.5% ac fe'i yfid hyd yn oed gan wragedd beichiog a chan blant. Ond ceid cwrw cryfach hefyd, a fragid ar gyfer achlysuron arbennig fel arwerthiannau. Yn Lloegr, câi hwn ei alw'n Gwrw Pwdin, a oedd yn cynnwys llysiau fel pupur, garlleg, rhos y mynydd a ffenigl. Ond er ei gryfder a'i flas ychwanegol, doedd hwn ddim cystal â Chwrw Cymru.

Dechreuodd yr arfer o fragu neu facsu cwrw cartref edwino wrth i ambell dafarn ddechrau bragu ei chwrw ei hun. Edwinodd fwyfwy wrth i fragdai masnachol gael eu sefydlu yn y 18fed ganrif. Ond parhaodd mewn ardaloedd gwledig, yn arbennig yn siroedd Penfro a Chaerfyrddin.

Edrychid ar facsu nid yn unig fel dull o gynhyrchu cwrw ond fel modd o hyrwyddo perthynas rhwng meistr a gweithiwr. Cyn i fesur cyfreithiol ddod i rym yn 1821, byddai ffermwyr yn defnyddio bragdai lleol i sychu ŷd. Golygodd y ddeddf newydd y byddai'n rhaid cadw cyflenwad preifat y bragdy ar wahân i ŷd y ffermwyr. Byddai'r ffermydd yn tyfu eu haidd a'u barlys eu hunain. Ond byddai rhai ffermydd hefyd yn tyfu hopys, yn arbennig yn Nyfed. Un o'r mannau enwocaf am hopys oedd Dyffryn Aeron. Yno roedd i'r plas lleol, Llanerchaeron ei dŷ bragu ei hun lle, yn ôl Mair Lloyd Evans yn ei chyfrol ar y stad, *Llanerchaeron: A tale of 10 generations, 1634-1989.* Yno, meddai, câi cwrw bach ei fragu. Gwnaeth yr awdur gymwynas fawr â ni drwy nodi prisiau brag a hopys ac yna dadansoddi maint y cynnyrch. O'r llyfrau cownt canfu, ar gyfer 6 Mai 1809 fod brag ar gyfer bragu a gyflenwyd gan Jane Pugh o Aberystwyth wedi costio £2-2-0 tra oedd Mr Rowland Parry wedi derbyn £0-1-10_ am hopys, a 'menyw' wedi derbyn £0-2-6 am fragu. Ar 31 Ionawr 1819 cawn fod 'R Price Hop Merch.' of Southwark received payment for hops of £12 per pocket'. Ym mis Gorffennaf 1819, derbyniodd Daniel Williams £5 am frag. Ar 25 Mawrth 1834 cawn Edward Evans o'r Belle Vue, Aberystwyth, 'to the use of Messrs Evans and Stokes for the pocket of hops had in 1833 £14-6-6. Ac ar 10 Chwefror 1842 cawn 'Pd Evan Lloyd for malt and hops had to Llanairon from 1st Jan 1841 to 1st Jan 1842 £43-4-0.

Drwy ddefnyddio'r ffeithiau hyn llwyddodd Mair Lloyd Evans i ganfod mwy o fanylion. Byddai pedwar pwys o hopys wedi mynd i fragu un gasgen o gwrw, a byddai poced o hopys, yn gyfystyr â 104 pwys, wedi costio £3-12-6 ar 13 Mehefin, 1776. Golygai hyn fod hopys yn wyth geiniog y pwys. A golygai hyn ymhellach y byddai un boced o hopys yn ddigon ar gyfer bragu 26 casgen; roedd un gasgen yn dal 36 galwyn ac felly gellid bragu 936 galwyn, neu 7,488 peint, allan o un boced o hopys.

Yr hyn sy'n hynod am fragu yn y bedwaredd ganrif ar bymtheg oedd ei fod yn apelio at fonedd a gwreng. Yn ogystal â'r gwladwr tlawd a fragai yn ei fwthyn byddai'r tirfeddiannwr cefnog yn ei blasty yn cyflogi arbenigwyr i facsu cwrw. Yn wir, ar rai stadau a ffermydd mawrion byddai gŵr y plas yn defnyddio adeilad pwrpasol ar ei stad ar gyfer bragu. A châi'r adnoddau eu defnyddio ar gyfer y tenantiaid yn ogystal ag ar gyfer y plas ei hunan. Mewn rhai enghreifftiau pennid dyddiadau pendant ar gyfer macsu, yn yr un modd ag y pennid diwrnod cneifio.

Mor boblogaidd oedd macsu fel i rai o'r bragdai mawr roi pwysau, a hynny'n llwyddiannus, ar y llywodraeth i gwtogi ar nifer y bragwyr preifat. Dirwywyd ffermwr o Lanboidy yn 1878 ddeuddeg punt am facsu cwrw ar gyfer priodas ei ferch.

Gyda phwysai'r Llywodraeth a'r bragdai mawr ar un llaw, daeth pwysau o'r llaw arall oddi wrth y mudiadau dirwest. Ac yn yr achos hwn fe gafodd y mudiad dirwest ddylanwad mawr, yn enwedig adeg y Diwygiadau rhwng 1859 a 1905. Yn ei gyfrol *Life and Tradition in Rural Wales* dywed J. Geraint Jenkins:

Yn y Gymru wledig, tarddodd dirwest o brofiad Diwygiad Methodistaidd y ddeunawfed ganrif, gyda'i arweinyddion yn addysgu pobl i aberthu pleserau a chwantau bydol er mwyn canfod y delfryd ysbrydol. Fe wnaeth y bedwaredd ganrif ar ddeg, a'i diwygiadau a'i phwyslais ar y problemau moesegol a rhywiol, gadarnhau a dyfnhau'r patrwm cul a osodwyd fel sail gan yr arweinwyr Methodistaidd cynnar. Tan yn ddiweddar, mewn llawer ardal yng Nghymru, ystyrid llwyr ymwrthod oddi wrth y ddiod alcoholaidd fel conglfaen ymarweddiad cywir a chymdeithasol; tan yn ddiweddar hefyd byddai Methodistiaeth Galfinaidd, y dadogaeth enwadol Gymreig mwyaf eang, yn hawlio cadarnhad o lwyr ymwrthodiad gan bawb o'i blaenoriaid newydd etholedig.

Ond parhau wnaeth y macsu, yn arbennig yng ngorllewin Cymru ac yng Nghwm Gwaun yn arbennig. Mae J. Geraint Jenkins yn rhestru deg o gynhyrchwyr brag yn Hwlffordd ac wyth ym Mhenfro yn 1870. Parhaodd y bragu, neu'r macsu ar wahanol ffermydd, gyda ffermwyr yn macsu nid yn unig ar gyfer amgylchiadau arbennig fel priodasau, ond hefyd ar gyfer y gweision wrth y bwrdd bwyd yn feunyddiol. Ac o son am briodasau, cawn gan Mair Lloyd Evans eto yn ei chyfrol ar Lanerchaeron hanes priodas yno ar 26 Gorffennaf 1842 pan wariwyd dwy bunt ar gwrw i'r cynaeafwyr gwair. Byddai hyn, meddai, wedi talu am 120 peint o gwrw o dafarn leol, neu hyd yn oed fwy o'i fragu yn nhŷ brag y plas.

Roedd gallu merch i facsu yn ffactor bwysig wrth gyflogi morwyn. A byddai'n gaffaeliad fel cymhwyster i wneud gwraig dda. Nid ar gyfer priodasau'n unig y ceid bragu arbennig. Mewn rhai rhannau o Gymru cyfyngid y macsu i achlysuron amaethyddol arbennig, fel cyfnod y cynhaeaf.

Ond beth am y grefft o facsu? Mae'n amrywio mewn gwahanol rannau o Gymru, ond yn ei hanfod mae'n gyffredin. Un o'r prif angenrheidiau oedd padell bres, a honno ar drybedd, i ferwi'r dŵr a'r breci. Trodd y badell yn ddiweddarach yn foeler trydan. Fel arfer defnyddid tua deg i ddeuddeg galwyn o ddŵr, ei sgaldanu yn y badell a'i arllwys wedyn i gerwyn pren. Ar waelod y cerwyn byddai brigyn o eithin neu wellt gwenith wedi ei sicrhau yn ei le gan fforch bren i atal

Paratoi brag cartref - cyfres o luniau o ffermydd Caerlleon a Hafod Las Ucha yn Llanboidy, Sir Gaerfyrddin a dynnwyd yn ystod y 1960au.

23

gwaelodion y breci rhag tagu'r agoriad pan ddeuai'n amser i dywallt y cwrw allan.

Y cynhwysyn pwysicaf oedd y brag, gyda hwnnw'n cael ei baratoi yn y gaeaf gyda'r haidd, wedi ei drochi mewn dŵr am bum niwrnod, yn cael ei dynnu allan a'i wasgaru ar lawr y cwt brag. Yno câi ei adael am tuag wyth awr a deugain, yn dibynnu ar y tymheredd, nes i egin ymddangos o fonion y grawn. Yna cai'r haidd ei droi'n ofalus ac yn rheolaidd â rhofiau pren a rhacanau. I arbed y grawn rhag difrod, rhaid oedd i bawb fod yn droednoeth. Byddai'r broses yn para am ddeng niwrnod ac, yn achlysurol, chwistrellid dŵr dros y grawn. Gyda'r brag yn wyrdd, câi ei symud i'r odyn, uwch tân coed, a'i sychu'n ofalus. Gwnâi hyn roi diwedd ar dyfiant gan roi i'r brag flas tebyg i fisgedi.

Yn ei bamffled ar facsu cwrw yn Nyfed ceir gan Elwyn Scourfield y rysáit. Cymysgu tua bwysel o frag mewn dŵr poeth a'i ychwanegu fesul bwcedaid at y dŵr sydd eisoes yn y cerwyn. Yna gorchuddio'r cerwyn er mwyn cadw blas a rhinwedd y cwrw rhag anweddu. Yna tynnu tua deg galwyn o'r breci allan o'r cerwyn heb gynhyrfu cynnwys y cerwyn a'i ail-ferwi. Yna gwacau'r cerwyn o'r soeg, a'i olchi'n lân. At yr ail-ferwad ychwanegir hanner pwys o hopys a chwe phwys o siwgr – siwgr brown os am gael cwrw lliw tywyll. Yna, ar ôl berwi'r breci, rhaid ei hidlo cyn ei arllwys yn ôl i'r cerwyn – un pren sydd orau. Gadewir i'r cwrw oeri i wres y gwaed cyn ychwanegi burum. Yna gadewir y cyfan am wythnos gan adael i'r burum weithio. Bydd angen sgimio wyneb yr hylif o furum tua theirgwaith y dydd am dridiau, gan barhau i wneud hynny pan fo angen. Ymhen wythnos dylai'r cwrw fod yn barod i'w arllwys i lestri pridd neu boteli a'i adael am rai dyddiau eto cyn ei yfed.

Yn ogystal â'r amrywiaethau a geid yn y dull o facsu, ceid amrywiaeth hefyd yng nghryfder y cwrw. Cwrw gwan gâi'r gweision fel arfer, llawer gwannach na chwrw'r Nadolig, y Calan, preimin aredig, diwrnod lladd mochyn, diwrnod dyrnu neu neithior. Ceid cwrw macsu hefyd ar achlysuron llai cyffredin. Yfid 'cwrw bando' wedi i'r gof gylchu olwynion cert. 'Cwrw cyple' wedyn wedi cwblhau gosod coed ar do. Ac yn arbennig 'cwrw acshon' ar ddiwrnod arwerthiant. Byddai'r 'cwrw acshon' yn gryf, gyda'r bwriad o gyflymu a chodi'r bidio. Mewn rhai ardaloedd, cyn y tymor hau, câi'r aradr ei chludo i'r gegin a'i bendithio â dafnau o gwrw. Roedd yna hyd yn oed gwrw cynhebrwng.

Fel yn Iwerddon, câi cwrw macsu ei ddosbarthu weithiau i alarwyr cyn ac wedi angladd. Gofelid y byddai'r cludwyr, yn arbennig, yn cael cyflenwad. Fel yn y partïon gwin yn ein dyddiau ni, byddai mynychwyr y gwahanol achlysuron yn dod â chwrw macsu gyda nhw. Câi hwn ei alw yn 'ffetshin'. Yn wir, ceid cwrw cynhebrwng i'w rannu rhwng y galarwyr cyn ac wedi'r claddu. Mewn rhai ardaloedd byddai'r galarwyr yn cyfrannu arian wedi'r claddu ar raw, a ddelid gan y clerc uwchlaw'r bedd. Yna fe âi pawb i'r dafarn agosaf i yfed iechyd da i'r ymadawedig. Parhaodd yr arferiad mewn ardaloedd fel Mallwyd a Llanymawddwy tan tua 1830. Gelwid yr achlysur yn shot, ac roedd disgwyl i'r holl alarwyr fynychu'r shot. Byddai'r dynion yn cyfrannu rhwng chwe cheiniog a swllt a'r menywod yn cyfrannu hanner hynny. Petai'r arian yn sychu, clywid yr alwad, 'Mae'r tŷ hwn yn rhydd!'. Ac yna ceid casgliad arall.

Ond o ganlyniad i ymyrraeth llywodraeth a'r mudiad dirwest, colli tir wnaeth yr hen arferion. Er hynny, caiff cwrw ei facsu o hyd, yn arbennig yn ardal y Preselau a rhannau o Sir Gaerfyrddin.

Tafarn Bessie, Cwm Gwaun – cadarnle'r 'macsu' cartref yng Nghymru o hyd. Dyma'r ardal y cyfeiriodd Tydfor ati: 'Mae fel hotel ym mhob tŷ/Hotel a neb yn talu.'

CWRW NI

Pan welai Eirwyn Pontsiân lori gwrw yn cario cynnyrch o Gymru byddai'n diosg ei gap gwyn yn barchus, yn plygu ei ben ac yn yngan yn gariadus, 'Cwrw Ni!'. Eirwyn, wrth gwrs, oedd Llywydd Anrhydeddus Undeb Cenedlaethol Tancwyr Cymru, neu, ar dafod lleferydd, Undeb y Tancwyr. A mynnai fod hyd yn oed llaeth Cymru yn well na chwrw Lloegr.

Heddiw mae Cwrw Ni'n gyfyngedig i ddau fragdy mawr a dwsin neu fwy o fragdai bach a meicro. Ond y mae gennym ein cwrw ein hunain o hyd, er gwaethaf trachwant a blys y cwmnïau mawr rhyngwladol i lyncu ddim yn unig ein cwrw ond y rhai sy'n ei gynhyrchu'n ogystal.

Fel y cawn weld, yr oedd yna gwrw a gâi ei adnabod ledled gwledydd Prydain fel Cwrw Cymru, neu *Welsh Ale*. Yn Saesneg, gwahaniaethir rhwng *ale* a *beer*. I fod y fanwl gywir, golyga *ale* ddiod feddwol heb hopys. Ond wna'i ddim hollti blew yma. Yn y gyfrol hon, cwrw yw cwrw.

Mae gwreiddiau bragu yn mynd yn ôl y tu hwnt i niwloedd hanes cynnar dynolryw. Gwelsom eisoes sut y gall medd fod yn gynnyrch sy'n digwydd yn naturiol drwy ddeddfau natur, ac felly hefyd win. Mae gwahanol fathau o ffrwythau yn cynnwys eu siwgr eu hunain yn ogystal â'u burum eu hunain. Mae grawnwin, er enghraifft, o'u gwasgu yn eplesu i fath ar win sy'n addas i'w yfed.

Ond mae cwrw yn fater cwbl wahanol. Cyn medru creu cwrw, rhaid trawsnewid haidd i frag. Nid ar chwarae bach y gweir hynny. Mae'n grefft soffistigedig sy'n mynd yn ôl i'r Dwyrain Canol o leiaf at tua 4000 CC. Fe ffodd Dionysus, a ddaeth i gael ei adnabod yn dduw gwin, o Fesopotamia oherwydd ei ffieidd-dra at boblogrwydd cwrw yno. Yn yr ardal a gâi ei hadnabod yn yr Hen Destament fel Ur y Caldeaid câi hanner y cynhaeaf ŷd ei neilltuo ar gyfer bragu, gwaith a wnaed o dan nawdd duwies coginio, Ninkasi. Ac yn Ur y Caldeaid hefyd, o dan y Brenin Hammurabi tua 1750 CC y lluniwyd y gyfraith gyntaf i wahardd cwrw a ystyrid yn rhy wan ac yn rhy ddrud.

Yn yr Hen Aifft dilynwyd canllawiau bragu wedi eu llunio gan neb llai nag Osiris ei hun, duw marwolaeth ac atgyfodiad. Yno câi cwrw a elwid *zythum* ei fragu. Ceir damcaniaeth mai ar ddamwain wrth i rywun baratoi toes ar gyfer bara yn yr Oes Neolithig y darganfuwyd bragu. Canfuwyd bod toes wedi ei wneud o hadau sych a oedd wedi egino a'u crasu'n rhannol yn cadw'n well. Yna câi'r bara ei fathru a'i drwytho mewn dŵr.

Eirwyn Pontshân – Llywydd Anrhydeddus Undeb Cenedlaethol Tancwyr Cymru

Ymhen diwrnod câi'r hylif ei hidlo a'i yfed. Ac o'i yfed, gwelwyd ambell un yn cwympo o effaith y ddiod ryfedd hon.

Cysylltwyd newyddiadurwyr erioed â'r ddiod gadarn. A hwyrach nad yw'n gyd-ddigwyddiad fod grawn a newyddiaduriaeth yn dal i fynd law yn llaw. Pan ddarganfu dynoliaeth y ddawn i ysgrifennu, rywle yn ardal Uruk ym Mesopotamia – neu Irac heddiw – dyfeisiwyd y gweisg cyntaf erioed. Doedd y rhain yn ddim byd mwy na chasgliad o gerrig mân a chregyn a gâi eu gwasgu i mewn i wely o glai i ffurfio negeseuon. Defnyddid y marciau cyntefig hyn yn wreiddiol i nodi sefyllfa'r cnydau grawn. A chan fod grawn wedi ei gysylltu o'r cychwyn â bragu, mae'n rhai mai'r argraffwyr a'r newyddiadurwyr cynnar hyn oedd yfwyr alcohol cyntaf gwareiddiad.

Priodolir dyfodiad bragu i Ewrop i'r Thraciaid, gyda'r Groegiaid yn dynn ar eu sodlau. Mae'n debyg i'r Thraciaid fragu diod a elwid Bryton, a buan iawn y dysgodd y Cymry'r grefft. Mae ganddom yma yng Nghymru draddodiad hir a chyfoethog o fragu. Ymhell cyn bod sôn am gwrw Lloegr, fe wnaeth Ine, brenin Wessex lunio deddfau tua 690 yn cynnwys canllawiau o'r hyn y dylid ei dalu am dir. Mesurid tir mewn darnau o drigain erw, digon i gynnal teulu cyffredin a'r rhai a ddibynnai arno. Roedd gwerth deg darn o'r maint hwn yn cyfateb i ddeg cerwyn o fêl, 300 torth, 12 amber o gwrw Cymreig, 30 amber o gwrw clir, dwy fuwch neu ddeg gwedder, deg gŵydd, 20 o ieir, deg cosyn, amber llawn o fenyn, pum eog, 20 pwys o borthiant neu 100 o lyswennod.

Cymhlethir y darlun braidd gan y ffaith na ŵyr neb erbyn hyn beth oedd maint amber. Mae'r gair yn ymddangos ddwywaith yn Llyfr Domesday ond heb esboniad o'i faint. Ond dengys yr ystadegau fod dwsin o fesurau o gwrw Cymreig yn werth dwywaith-a-hanner hynny o gwrw clir.

Erbyn teyrnasiad y Brenin Alfred (849-899) a dyfodiad yr Eingl-Sacsoniaid roedd cwrw a thafarndai wedi eu sefydlu ledled Prydain. Dim rhyfedd, felly, i'r hen Alfred losgi'r cacennau. Ond cwrw Cymru oedd y cwrw gorau. Yn 901 gofynnwyd i Denewulf, Esgob Caerwynt dalu i'r Brenin Edward, am les ar dir, 12 sester, neu 364 owns o gwrw Cymreig melys fel rhan o'r tâl blynyddol. Credir y byddai'r cwrw hwn yn cynnwys mêl. Mynnai rhai cytundebau gynnwys y fath amod fel rhan anhepgor o'r fargen.

Yn y ddeuddegfed ganrif fe wnaeth Abad Medeshamstede ffeirio stad Sempringham i un o'i ddenantiaid am eiddo blynyddol o geffyl, 30 swllt a gwerth un diwrnod o fwyd, yn cynnwys 15 mittan o gwrw clir, pum mittan o gwrw Cymreig a 15 sester, neu 430 owns o gwrw mwyn. Unwaith eto mae'n amhosibl gwybod faint o fesur oedd mittan, ond daw'n eglur fod cwrw Cymreig deirgwaith gwerth cwrw clir. Tybed a oedd y Dywysoges Gwenllïan (1282-1337) yn Sempringham ar y pryd? Os oedd hi, yna prin iddi hi, fel lleian, flasu cwrw'i henwlad.

Nid oedd yn angenrheidiol i gwrw Cymru ddod o Gymru. Rysáit y cwrw oedd yr hyn a'i gwnâi yn gwrw Cymreig. Roedd Cwrw Cymru yn ddiod unigryw a gâi ei bragu cyn i'r Sacsoniaid yrru'r Cymry i'r gorllewin. Ond gystal oedd y blas fel i'r goresgynwyr groesawu'r cwrw, os nad ei wneuthurwyr, yn ôl.

O ddod i gyfnod Offa, y cloddiwr mwyaf mewn hanes nes dyfodiad y Jac Codi Baw, cyflwynodd hwnnw diroedd i eglwys Caerwrangon am, 16 chwart o Gwrw Cymreig, ymhlith taliadau eraill. Mae'n bosibl canfod, yn y cyfnod hwn, fod cwrw yn cael ei ddosbarthu i dri math – clir, mwyn a Chymreig. Gan nad oedd cwrw Cymreig, yn amlwg, naill ai'n glir nac yn fwyn tybir iddo fod yn gwrw cryf a thrwm yn cynnwys sinamon, clofs a sinsir.

Mynnai un ddeddf fod yna ddau fath ar Gwrw Cymreig – cwrw cyffredin a chwrw sbeis. Roedd un gasgen o fedd yn cyfateb i ddwy gasgen o gwrw sbeis neu bedair casgen o gwrw cyffredin.

Enwodd Hywel Dda, a fu farw tua 950 OC, ddau fath ar gwrw:

Bragawd neu Fragot, a delid i frenin fel teyrnged gan dref ryddfreiniol, a Chwrwf, neu Gwrw, sef diod israddol a llawer mwy cyffredin. Mae rysáit ar gyfer y Bragawd wedi goroesi. Cymysgid yr hylif a ddeuai o haidd bragedig wedi ei drochi mewn dŵr berwedig gyda mêl, sinamon, clofs, sinsir, pupur a math ar frwyn.

Diflannodd arbenigrwydd cwrw Cymreig wedi i'r awdurdodau fynnu mai unig gynnwys cwrw fyddai brag, burum a dŵr. Er gwaethaf hyn, bragir Cwrw Cymru o hyd mewn gwahanol rannau o'r byd. Mae cryn eironi yn y ffaith fod yr hyn a hysbysebir fel *Welsh Ale* gan Fragdy Saint Louis yn America yn cael ei restru fel *English Pale Ale*!

Mae'r rheiny ohonom sydd wedi goroesi o blith rhengoedd Undeb y Tancwyr, er hynny, yn dal i bregethu efengyl Cwrw Cymru. Erbyn hyn does yna fawr o gyfundrefn yn gysylltiedig â'r Undeb. Yn wir, ni fu erioed. Fe'i lansiwyd yn Eisteddfod Genedlaethol Aberystwyth yn 1952 pan etholwyd Eirwyn Pontsiân yn ddiwrthwynebiad fel Llywydd Anrhydeddus am Oes. Broliant mawr Undeb Cenedlaethol Tancwyr Cymru yw mai dyma'r unig undeb mewn hanes i wrthod hyd yn oed ystyried streicio. Ac un amod aelodaeth sydd – ni chaiff unrhyw aelod yfed dŵr. Mae ganddi ei baner a'i harfbais ynghyd â'i hanthem unigryw, y'i ceir yn Llawlyfr Moliant Undeb y Tancwyr, ac a gyfansoddwyd gan Harris Thomas o Gaernarfon. Mae hi'n anthem gyfrin nad oes ond

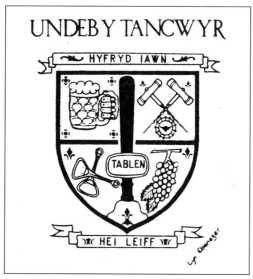

Arfbais Undeb y Tancwyr

Harris Thomas, awdur anthem Undeb y Tancwyr, gyda llun o Ficer
Penstwffwl o waith Howell Harries.

aelodau o'r Undeb yn ei deall. Mae pob llinell yn ymwneud ag un o storïau Pontsiân.

> O, mae pethau gwych mewn stôr
> I yfwyr trwm y Bôr
> Pan fydd Walter Pantybarlat ar y sbri;
> Y'ch chi'n barod, Mrs Morgan?
> Daw'r Sais i chwythu'r organ,
> Wel nawr te, gyda'n gilydd, un, dau, tri!

> Cytgan:
> Hei Leiff fydd y gân pan ddaw Eirwyn o Bontsiân,
> Cwrw Cymru ydyw'r cwrw gorau sy';
> Daw y Ficer o Benstwffwl i dalu am y cwbwl,
> Undeb y Tancwyr ydym ni.

> Os yw Mari'n cadw'r jam
> Dan y babi yn y pram
> Os yw Ned a Madam Patti yn y nef;
> Fe ddaw eto haul ar fryn
> Os na ddaw hadau, fe ddaw chwyn,
> Awn yn ôl i'r botel jin tan amser te.

> Cytgan:

> O, does neb yn cyfri'r gost
> Nag yn achwyn bola tost
> Pan ddaw stiwdent Pantycelyn yn ei ôl;
> Os yw'r beinder dan y baw
> Daw'r Inspector maes o law
> Gyda brenin mawr y buarth yn ei gôl.

> Cytgan:

Felly, i ddyfynnu'r Llywydd, 'Heil Leiff, bois, yfwch lan! Beth yw'r gost lle bo cariad!'

Do, fe ddiflannodd Cwrw Cymru ond yn ystod wythdegau'r ganrif ddiwethaf gwelwyd adfywiad mewn bragu cwrw cartref wrth i wahanol gwmnïau gynhyrchu citiau bragu gan ei gwneud hi'n bosibl i unrhyw un greu eu cwrw eu hunain. Yr anfantais oedd bod pawb yn dilyn yr un ryseitiau, a'r cynnyrch o'r herwydd yn tueddu i fod yn unflas.

Ond erys ambell fragwr cartref gan barhau'r hen arfer o facsu. Un o'r ychydig y tu allan i Gwm Gwaun yw Alan Jones o Aberlleinau ym Mhentrecagal ger Castellnewydd Emlyn. Mae ef a'i wraig Brenda yn hanu o draddodiad macswyr o'r ddwy ochr ac yn bragu drwy ddilyn rysáit mam-gu Alan. Mae'r cynhwysion i gyd yn naturiol – brag, dŵr, burum, siwgr a hopys – ac yn absenoldeb hopys, danadl poethion neu ddinad. Cedwir at y traddodiad o osod sbrigyn o eithin ar waelod y cerwyn fel hidlydd. Credir ei fod hefyd yn ychwanegu at y blas.

Yn yr hen ddyddiau, fel y gwelsom yn y bennod flaenorol, calendr y fferm oedd yn rheoli rhaglen y bragu. Wrth i arferion amaethu newid, does dim galw bellach am gwrw cynhaeaf, cwrw cneifio, cwrw lladd mochyn ac yn y blaen. Ond fe fydd Alan yn macsu Cwrw Sioe, ar gyfer y Sioe Amaethyddol yn Llanelwedd bob blwyddyn – nid er mwyn cystadlu ond ar gyfer ei yfed yn y garafán gyda'r nos.

Aiff Alan mor bell â dweud fod ei gwrw yn gynhorthwy i siarad Cymraeg, er mai methu ag yngan yr un iaith wnes i o'i brofi. Dywed am Sais a ddaeth i fyw i'r fro, un a gâi hi'n anodd dysgu Cymraeg. Wedi llond bol o gwrw Aberlleinau, roedd e'n parablu Cymraeg gystal ag iaith Syr Ifor Williams! Gallaf dyngu hefyd i fendithion cwrw Alan fel moddion. Pan gyrhaeddais Aberlleinau roeddwn i'n gors o ffliw. Dydw'i ddim yn cofio gadael, ond y bore wedyn roeddwn i mor iach â'r gneuen.

Mae galw mawr ar Alan i fragu'n gyhoeddus mewn achlysuron yn yr Amgueddfa Werin yn Sain Ffagan. Ond mae cadw'r rysáit yn gyfrinachol yn bwysig iddo. Ac mae'r rysáit honno'n ddiogel. 'Ar ôl tri pheint o gwrw Aberlleinau fe heria'i unrhyw un i gofio'r rysáit, neu gofio unrhyw beth arall,' meddai.

Ymhlith y gwahanol fathau ar gwrw y mae'n ei facsu mae cwrw cynnes sy'n cynnwys perlysiau, yn union yn nhraddodiad Cwrw Cymru cyn dyfodiad y Sacsoniaid. A dyma ni, yn ôl yn y dechrau a'r rhod wedi troi cylch cyfan.

Rhan o'r arddangosfa yn Fferm
Fêl y Ceinewydd

Cwch gwenyn traddodiadol

Y bragdy medd

Detholiad o gynnyrch y bragdy medd

www.thehoneyfarm.co.uk

Alan Jones, Pentrecagal,
arbenigwr ar gwrw cartref traddodiadol Cymreig

Mae tai yn dwyn yr enw 'Bragdy', fel hwn yn hen dref Dolgellau, i'w gweld mewn trefi a phentrefi ar draws gwlad.

Tafarn y Bedol, Tal-y-bont, Dyffryn Conwy, yn ddarlun o'r cysylltiad agos rhwng cwrw a gwaith. Safai'r dafarn ar lwybr y porthmyn, y drws nesaf i efail y gof.

Brains – y Cwrw Cenedlaethol

www.sabrain.com

Felinfoel – mae llwyddiant bragdy gorllewin Cymru yn parhau

www.felinfoel-brewery.com

Cwrw Buckley – ambell atgof ar ambell arwydd

Diflannodd y cwrw melyn o Wrecsam, prifddinas bragu Cymru – dros dro o leiaf.

Hen felinau seidr yn Amgueddfa Werin Cymru, Sain Ffagan

41

Stondinau hyrwyddo seidr Cymreig yn y Sioe yn Llanelwedd

Cymdeithas Seidr Cymru: www.welshcider.co.uk

Why? with capers so many?
John Jones, gay, you are,
"Welsh Whisky," dear Jenny,
From Bala; "bur ddha."

Hysbyseb Wisgi Fron-goch ac un o'r poteli prin sy'n dal ar gael

Hen hysbyseb Wisgi Fron-goch

Distyllty Wisgi Penderyn heddiw

www.welsh-whisky.co.uk

Bragdy Simon Buckley yn Llandeilo

www.evan-evans.com

Cynnyrch rhai o fragdai bychain Cymru

ARTHUR GAWR

Y ddiod feddwol enwocaf yn y byd, yn ddiau, yw Guinness. Mae aml i gefnogwr rygbi o Gymru wedi meddwi ar stwff du Arthur Guinness ar sgawt ddwyflynyddol i gefnogi tîm rygbi Cymru yn Nulyn. Amlach fyth yw'r Gwyddelod a feddwodd ar ddiod eu tadau tra oeddent yn llafurio ar ffyrdd a chronfeydd dŵr draw yma yng Nghymru ganol y ganrif ddiwethaf.

Ond ar wahân i hynny, beth sydd gan Guinness i'w wneud â Chymru? Llawer iawn. Ceir honiad mai Cymro wnaeth greu'r ddiod. Ac oni bai am dro pedol ar ran Llywodraeth Prydain ganol y ddeunawfed ganrif, byddai ganddo fwy fyth i wneud â Chymru. Yn wir, oni bai am yr enghraifft brin honno o degwch ar ran Prydain i'r Gwyddelod, diod Gymreig fyddai Guinness.

Mae hen, hen hanes am gwrw yn Iwerddon. Mor bell yn ôl ag 1 Oed Crist roedd Disocorides yn cyfeirio at yr Hiberni, neu'r Gwyddelod – a'r Brythoniaid yn gyffredinol – yn cynhyrchu diod o'r enw *courmi*, sef cwrw,

Wil Sam yn mwynhau peint o'r cwrw du yn nhafarn Llanystumdwy.

neu mewn Hen Wyddeleg, *coirm*. Yn 438 ceir cyfeiriad yn Llyfr Cyfreithiau Hynafol Iwerddon, y *Senchus Mor* am dyfu gwenith yn y wlad ar gyfer creu brag i wneud cwrw. Yn wir dywedir fod bragwr gan Sant Padrig ei hun ymhlith ei osgordd, offeiriad o'r enw Mescan. Ceir son hefyd am y Santes Brigid yn bragu cwrw ar gyfer yr eglwysi adeg y Pasg. A chlywsom eisoes am Sant Kevin, a drodd ddŵr yn gwrw.

Erbyn 1300 câi cwrw ei fragu ar lan afon Poddle yn Nulyn ac erbyn 1610 roedd 1,180 o dai potio a 91 o dai bragu yn y ddinas. Roedd Arthur Guinness felly yn rhan o draddodiad hir a ffrwythlon. Ond gadewch i ni osod yr hen Arthur yn ei gyd-destun. Yn y ddeunawfed ganrif y gwelwyd cychwyn sefydlu bragdai mawr yn Lloegr, a hynny, yn ddigon naturiol, yn y dinasoedd a'r trefi mawrion. Roedd hynny'n ddigon naturiol am mai yno yr oedd trwch y boblogaeth. Roedd cyflwr ffyrdd yn dal yn wael ar gyfer cludiant cwrw, fel cludiant unrhyw nwyddau, felly câi'r bragdai eu sefydlu lle'r oedd y galw mwyaf.

Yn Llundain, wrth gwrs, y gwelwyd y datblygiadau mawr cyntaf gyda chwmnïau fel Whitbread a Truman yn arwain. Ac yma rhaid troi eto at Arthur Guinness. Roedd y bragdai stowt yn Llundain yn danfon a gwerthu eu cynnyrch i Iwerddon yn llawer rhatach nag y medrai cwmniau yn Iwerddon ei hun ei gynhyrchu a'i werthu. Gwelid deddfau toll Prydain felly fel annhegwch dybryd. Yn wir, methodd sawl cwmni bragu yn Iwerddon o ganlyniad i'r annhegwch. Pan fygythiwyd llwyddiant ei fusnes yn St James' Gate yn Nulyn – busnes a sefydlwyd yn 1759 – bu Arthur Guinness yn ystyried o ddifrif sefydlu pencadlys i'w 'Stwff Du' ar arfordir gogledd-orllewin Cymru a chludo'r cynnyrch yn ôl i Iwerddon ar longau.

Ceir cadarnhad o fwriad Guinness mewn llyfryn a gyhoeddwyd gan y cwmni yn 1939, cyfrol sy'n olrhain hanes y busnes. 'Tua'r flwyddyn 1722, cynhyrchwyd cwrw o liw tywyll yn Llundain a oedd â blas ac ansoddion cyffredinol o gymysgedd o gwrw trwm, melys a chwrw ysgafnach, chwerw, a chan mai ei brif noddwyr oedd y dosbarthiadau gweithiol, yn arbennig porteriaid, daeth i gael ei enwi yn Porter.'

Esbonia'r gyfrol mai prif gwrw Dulyn ar y pryd oedd cwrw brown, a doedd dim Porter – sef cwrw mwyaf poblogaidd Llundain ar y pryd – yn cael ei gynhyrchu yn Nulyn. Y sylw cyntaf a geir am Borter yn cael ei gynhyrchu yw hwnnw mewn Deiseb a gyflwynwyd yn 1736 gan Joseph ac Ephraim Thwaites i Dŷ'r Cyffredin yn gofyn am gymorth i hybu'r gwaith o fragu Porter Gwyddelig, a oedd 'wedi cyrraedd perffeithrwydd yn dilyn arbrofion niferus a drudfawr'.

Erbyn canol y ddeunawfed ganrif, a bragwyr Llundain yn danfon eu cynnyrch o'r Porter i Ddulyn, daeth bodolaeth y bragwyr Gwyddelig o dan bwysau trwm. Roedd y dreth yn Nulyn ar gwrw a fewnforid yn swllt y gasgen tra oedd y dreth ar gwrw a fragid yn Nulyn yn 5s. 6d. y gasgen. Penodwyd pwyllgor Seneddol yn 1773 i ymchwilio i'r mater ac ymhlith y tystion roedd Arthur Guinness. Mynnai hwnnw fod cynifer â 70 o fragdai yn Nulyn 34 mlynedd yn gynharach, pan sefydlodd George Thwaites ei fusnes. Erbyn hyn doedd ond 30.

Cadarnhaodd Arthur Guinness hefyd iddo ystyried agor ei fragdy ei hunan mewn adeilad parod, naill ai yng Nghaernarfon neu Gaergybi. Yn wir, ymwelodd Arthur â'r ardaloedd dan sylw er mwyn canfod lle addas. Yn anffodus i Gymru, penderfynodd y Llywodraeth lacio'r deddfau toll yn Iwerddon. Mae'r gweddill yn hanes, gyda Guinness yn St James' Gate yn mynd ymlaen i fod y bragdy mwyaf yn y byd.

O'r dechrau llwyddodd Guinness i arwain ym myd hysbysebu a hyrwyddo. Gwerthid y cynnyrch o dan gochl meddygaeth a châi'r ddiod

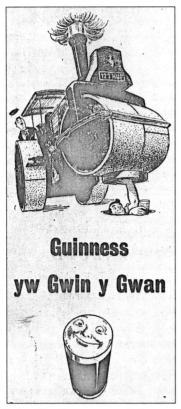 

Hysbysebion Cymraeg gan Guinness yn Baner ac Amserau Cymru *yn y 1950au*

**Amser agor
yw
Amser Guinness**

**Cato Pawb!
Fy Nguinness i**

ei hyrwyddo fel meddyginiaeth at wella insomnia, llesgedd, diffyg traul a gwendid nerfol. Pan gychwynnwyd hysbysebu Guinness yn weledol, ymddangosodd hysbysebion uniaith Gymraeg fel 'Guinness yw Gwin y Gwan' a 'Cato Pawb! Fy Nguinness i' Oedd, roedd Guinness hyd yn oed yn treiglo!

Gyda llaw, chwedl yw'r honiad fod Guinness yn cael ei gynhyrchu o ddŵr y Liffey. Chwedl hefyd yw'r honiad arall i Guinness gael ei greu o ddŵr ffynnon yn St James' Gate. Y mae yno ffynnon, oes. Ond defnyddir dŵr honno yn unig i olchi'r offer ac oeri'r cynnyrch. Daw'r dŵr sy'n sail i'r Stwff Du o ffynhonnau y tu allan i'r ddinas, yr union ffynhonnau sy'n bwydo lefelau uchaf y Grand Canal yn Swydd Kildare. Y cynhwysion sylfaenol eraill yw brag, hopys a burum.

Yn ôl yr hanesydd morwrol J. Geraint Jenkins, mynnai bragwyr Guinness mai dim ond y glo a gloddid ym Mhenfro ac a gâi ei allforio drwy borthladd Saundersfoot oedd yn gwneud y tro ar gyfer yr odynnau lle cresid y brag ar gyfer y ddiod. Bu'r fasnach Guinness yn bwysig iawn i lowyr a morwyr Penfro am genedlaethau.

Ond beth am yr honiad mai Cymro fu'n gyfrifol am greu Guinness? Un a gredai hynny oedd Timothy Lewis, a gyfrannodd erthygl i'r *Ford Gron* ym mis Ebrill 1933. Yn yr erthygl, sôn a wna'r awdur am ei brofiadau fel milwr Prydeinig yn Iwerddon yn 1915. Yn ystod ei wasanaeth ymwelodd ag Abaty Cashel lle cafodd sgwrs ddiddorol ag un o'r gofalwyr. Yn ôl hwnnw, Esgob Protestannaidd olaf Cashel oedd gŵr o'r enw Price o Fro Morgannwg. Dywedir iddo fod yn enwog am ei letygarwch ac am ei ddiod gadarn, a phan fu farw gadawodd ar ei ôl, mewn llythyr cymun, rysait i'w was ar gyfer diod gadarn. A dywedir mai'r rysáit honno gan yr Esgob Price o Fro Morgannwg oedd sail yr hyn a ddaeth yn Guinness.

Cafwyd cadarnhad o'r stori gan T. Llew Jones. Roedd y Price hwn, meddai mewn erthygl yn *Llafar Gwlad*, yn llinach Preisiaid Rhydcolomennod ger Llangrannog. Ceir cadarnhad o hyn, meddai, yn y gyfrol *Llangrannog and the Pigeonsford Family* gan Evelyn Hope. Roedd Price yn un o nifer o feibion Rhydcolomennod a aeth yn offeiriaid dros gyfnod o flynyddoedd, nifer ohonynt i Brifysgol Dulyn gan gael swyddi wedyn yn Iwerddon.

Roedd y Price a ddaeth yn Esgob Cashell wedi colli parch wedi iddo fod yn gyfrifol am ddinoethi to Abaty Cashell am fod Catholigion yn dal i ymgynnull yno. Aeth T. Llew Jones ymlaen, 'Ond ymhell cyn iddo gael ei ddyrchafu'n esgob nac archesgob (yn wir, pan nad oedd ond yn rheithor), roedd Price wedi cyflogi gwas, Richard Guinness, Protestant cyffredin, wedi ei eni yn, neu tua, 1690 yn agos i le o'r enw Cellbridge. Fe oedd 'Stewart & land agent … the rector Rev Arthur Price …'.'

Ac yn ôl T. Llew Jones, pan anwyd mab i Richard Guinness fe'i enwodd yn Arthur, ar ôl yr offeiriad Cymreig a chytunodd Price i fod yn dad bedydd iddo. Ac yma y cawn fod sail i'r honiad am y ddiod. Yn y cyfnod hwn, medd T. Llew Jones, roedd Price wedi dod yn enwog 'for the quality of the 'black beer' with which he was wont to regale his guests …'

Richard Guinness oedd yn trefnu'r bragu tymhorol ym Mhlas yr Archesgob, a ddisgrifiwyd fel 'a brew of a very palateable nature'. A dywed T. Llew Jones, 'Mae hyn yn siŵr o fod yn profi fod y rysêt i wneud y 'cwrw du' wedi cyrraedd Plas yr Archesgob gyda'r gwas yma, neu ei fod yn eiddo i'r offeiriaid ers amser, ond bod Guinness wedi dod o hyd i ffordd fwy effeithiol o fragu. Ond daeth y ddiod ddu i amlygrwydd mawr pan dyfodd y bachgen, Arthur Guinness yn ddyn a chymryd y busnes bragu drosodd oddi wrth ei dad. Fe ddaeth galw mawr am ei wasanaeth ymysg ffrindiau pwerus yr Archesgob, a thyrrai pobl bwysig i'r Plas i flasu'r ddiod.'

Ac yn ddiddorol iawn, fe aeth Arthur Guinness ymlaen i agor ei fragdy cyntaf yn 1756 gyda chymorth rhodd o £100 gan Arthur Price. Dengys hyn fod i'r hanes sail gadarn a bod yna gysylltiad pendant rhwng Cymru a'r ddiod ddu.

Yn wir, ceir hanes arall sy'n mynnu mai dwyn y rysáit o Gymru a wnaeth Arthur Guinness. Dywed traddodiad iddo, tra ar un o'i fynych deithiau rhwng Caergybi a Llundain, flasu math ar stowt mewn tafarn yn ardal Llanfairfechan ac i'r ddiod ei blesio gymaint fel iddo ei hail-greu yn Iwerddon. Enwir dwy dafarn fel rhai oedd yn gwerthu'r ddiod yn y fro, Llety a Gwyndy. Honnir gan rai mai llygriad yw Gwyndy o Gwin Du, ac mai dyna oedd yr enw ar y stowt blasus.

Yr hyn sy'n awgrymu fod rhyw fath o goel i'r stori yw bod tri safle yn yr ardal wedi bod yn cynhyrchu brag. Pam oedd angen cymaint o frag ar le mor fach? A oedd brag o Lanfairfechan yn cael ei allforio i Ddulyn, tybed? Yn wahanol i Guinness, mae'r stori'n un anodd ei llyncu.

A beth am honiad arall, sef bod y Guinness a geir yn Iwerddon yn well, yn gryfach ac yn blasu'n wahanol i'r hyn a geir yma? Chwedl arall. Y gofal o'r Guinness sy'n bwysig ynghyd ac amldra ei dynnu o'r gasgen. Hynny yw, mwya'i gyd y mynd sydd ar y Guinness, gorau i gyd ei flas. Rhaid i Guinness gadw i lifo. Ac fe wnaiff.

HAEARN, GLO A CHWRW

Lle bo diwydiant, mae pobl. A lle mae pobl, mae syched. A mwya'r boblogaeth, mwya'r syched. Naturiol felly oedd mai yn yr ardaloedd poblog y sefydlwyd y bragdai mawr cyntaf.

Yn Lloegr, golygai hyn mai Llundain oedd y ganolfan gwrw fwyaf gyda chwmnïau fel Whitbread a Truman yn sefydlu yno. Yng Nghymru ni welwyd sefydlu bragdai mawr tan y 19eg ganrif. Ond roedd gan Gymru un bragdy mawr ganrif yn gynharach, a hynny yn Abertawe.

Y diwydiant copr fu'n gyfrifol am ddenu'r Cambrian Porter Brewery i Abertawe yn dilyn caniatâd i Phillips a Kendall godi bragdy ar y Strand yn 1792. A chyn hir sefydlwyd cystadleuydd pan agorwyd bragdy cyfagos gan Edward David. Byrhoedlog fu'r ddau.

Dengys cofnodion y Cambrian i'r cwmni newid dwylo hanner-dwsin o weithiau o fewn chwarter canrif. Ar wahân i'r sefydlwyr bu yn nwylo William Shepherd, Henry Bonham, Samuel Hawkins a George Haynes, cwmnïau o Lundain ac yna John a Francis Morse o Norwich. Ac erbyn 1822 roedd yn nwylo Haynes a Morgan.

Yn anffodus does fawr o wybodaeth yn bodoli am fenter Edward David. Ond gwyddom i'r ddau fragdy ddod i ben erbyn canol y ganrif. Ond fe agorwyd bragdy wedyn gan George Rolls, y Swansea Old Brewery yn y Meysydd. Fe gymerai tan 1799 i Henry Child agor bragdy yn Llanelli, rhagflaenydd Buckley. Yr un flwyddyn agorwyd y bragdy cyntaf yn Wrecsam.

Ond heb amheuaeth, yr hyn a wnaeth agor y farchnad yn ne Cymru oedd datblygiad y diwydiannau glo a dur. Y man cyntaf i'w ddatblygu oedd blaenau cymoedd Morgannwg ganol y ddeunawfed ganrif. Prif nodwedd y chwildro diwydiannol oedd cyflymdra ei ddatblygiad. Creodd y datblygiad cyflym hwnnw wahanol anghenion cymdeithasol, ac ymatebodd y bragdai yn fuan iawn i'r angen am gwrw i wlychu gyddfau sychion. Y rhai â'r anghenion mwyaf am yr hylif i iro'u gyddfau cras oedd gweithwyr y ffwrneisi. Ac er gwaethaf ymdrechion rhai o'r perchnogion a'r mudiad dirwestol i wahardd, neu o leiaf rybuddio rhag y ddiod gadarn, daeth Dowlais yn un o'r trefi yfed mwyaf yng Nghymru, a hynny er gwaetha'r ffaith fod 70 y cant yno ar un adeg yn ddi-waith.

Hyd yma, problem fawr y bragdai fu cludiant. Ond nawr, gyda blaenau'r cymoedd yn cael eu hagor gan ddiwydianwyr fel John Guest yn Nowlais a Richard Crawshay yng Nghyfarthfa roedd y ffyrdd, rheilffyrdd a'r camlesu a grëwyd ar gyfer cludo glo a dur yr un mor ddefnyddiol ar gyfer cludo cwrw. Yn ddiweddarach trodd y manteision hyn i fod yn anfanteision. Os oedd hi'n hawdd bellach i symud cwrw o fan i fan, roedd hi'r un mor hawdd symud cwrw i fewn i Gymru o Loegr. Ond stori arall yw honno.

Roedd agwedd y meistri dur at y ddiod gadarn yn amwys, a dweud y lleiaf. Tra byddai rhai gweithwyr yn cael eu hannog i weithio'n galetach am wobr o docynnau a gyfnewidid am gwrw, cyhoeddodd John Guest o Gwmni Dur Dowlais yn 1831 na wnâi gyflogi unrhyw un a gadwai dafarn. Yn wir, aeth ati i gau nifer o dafarndai yng nghyffiniau'r gwaith dur a byddai'n cyflogi twrneiod i wrthwynebu unrhyw geisiadau am agor tafarndai newydd yn y cylch.

Er gwaethaf hynny, ardal Merthyr Tudful oedd y lle cyntaf i weld sgil-effaith y datblygiadau diwydiannol newydd. Merthyr bryd hyn oedd tref fwyaf Cymru, deirgwaith yn fwy na Chaerdydd o ran poblogaeth. Gwelwyd cwmni Williams a Bryant yn ymsefydlu, a dyma'r unig fragdy o unrhyw bwysigrwydd yno yn 1830. Erbyn 1848 ceir bod yno ddeg bragdy. Erbyn 1871 roedd yno bedwar ar ddeg ynghyd â 180 o dafarndai. Ar wahân i Williams a Bryant, un o'r bragdai cyntaf i ymsefydlu yn yr ardal oedd un a agorwyd yn 1830 gan Watkin Davies ar Ffordd Aberhonddu. Câi ei adnabod fel Bragdy Merthyr. Fe'i llyncwyd gan Giles a Harrap ac arbenigai ar fragu cwrw mwyn a chwerw a stowt. Arbenigodd hefyd ar werthu gwinoedd a gwirodydd gyda changhennau yn Lloegr, Iwerddon a'r Alban. Gymaint oedd yr elw yn y fasnach ddiodydd fel i Harrap sefydlu parc hamdden i'w weithwyr a'i denantiaid a'u teuluoedd.

Bragdy pwysig arall oedd y Taff Vale, a sefydlwyd gan Thomas Evans ym mhedwardegau'r ganrif cyn iddo gael ei brynu gan David Williams yn 1867. Yn 1904 ail-adeiladwyd y bragdy'n llwyr. Pan lyncwyd y busnes gan Fragdy Rhymni yn 1936 roedd gan y cwmni stad o 25 o dai prydlesol. Ymhen tair blynedd roedd y bragdy'n berchen ar 362 o westyau a thafarndai.

Yng Nghefncoed agorwyd Bragdy Pontycapel, a redai nifer o dafarndai yno yn ogystal ag ym Merthyr Tydfil a Dowlais. Cafodd y bragdy sylw gan Alfred Barnard yn ei gyfrol ar fragdai o bwys ym Mhrydain ac Iwerddon. Sefydlwyd y bragdy hwn gan Robert Millar ym mhedwardegau'r bedwaredd ganrif ar bymtheg. Ond priodolir datblygiad y bragdy i Thomas Pearce, a'i prynodd yn 1860. Gyrrwyd y peiriannau gan felin ddŵr a defnyddid dŵr o Ffynnon Oer gerllaw ar gyfer y bragu. Cyfeiriodd Barnard yn arbennig at Gwrw XXXX Pontycapel, neu'r Seren Ddisglair (Star Bright). Roedd hwn, mae'n debyg,

Bragdy Pontycapel, Cefncoedycymer, tua 1900

Llun a dynnwyd yn 1991 o Fragdy Glenview, Pontypridd, cyn iddo gael ei ddymchwel.

yn enwog ddim yn unig am ei flas ond hefyd am ei gryfder, er mai cwrw mwyn a gynhyrchwyd fwyaf yn yr ardal.

Ceid nifer o fragdai llai fel yr un yng Nghaedraw ynghyd ag un yng Ngwesty'r Clarence yn Nowlais a gedwid gan D W Huggins. Yn Heol y Faenor Isaf, yng Nghefn Coed safai Bragdy Meredith, a gaeodd yn 1920. Gallu cynhyrchu cymharol fychan fyddai gan y bragdai llai hyn, sef tua 30 casgen yr un tra oedd Bragdy Cyfarthfa, adeilad pum llawr o uchder yn meddu ar nifer o gerwyni a oedd yn medru cynhyrchu 40 casgen yr un ar y tro.

Dyfodiad Bute a'i waith haearn i Bont Rhymni yn 1825 wnaeth esgor ar un o'r ymerodraethau bragu mwyaf yn ne Cymru. Yn allweddol i'r fenter oedd Albanwr, Andrew Buchan a wnaed yn rheolwr siop y cwmni, lle cai'r gweithwyr gyfnewid tocynnau cyflog am fwydydd a diodydd. Cwmni Bute fu'n gyfrifol am sefydlu tref y Rhymni – y tai, siopau, fferm ac eglwys – ac yn 1838 penderfynwyd ychwanegu bragdy a phenodwyd Buchan yn rheolwr ar Fragdy'r Rhymni. Aeth hwnnw ymlaen i sefydlu ei gwmni ei hun o dan ei enw ei hun. Erbyn 1867 roedd y bragdy, gyda'i arwyddlun enwog o'r Ceffyl Pren, yn cynhyrchu 12,500 o gasgenni'r flwyddyn ac yn berchen ar 29 o dafarndai.

Bu farw Buchan yn 1870 ac fe'i olynwyd gan nifer o gadeiryddion yn

Tafarnau yn cynnig lluniau o'r Cymoedd: Y Colliers, Porth y Rhondda a thraphont Cefn.

eu tro. Aeth y cwmni o nerth i nerth gan ennill gwobrau am ei gwrw yng ngwledydd Prydain ac yn Ewrop. Bragodd Gwrw'r Brenin yn arbennig ar gyfer coroniad Edward VII.

Daliodd Buchan i ehangu gan ychwanegu at ei ddaliadau a'i fragdai ledled de Cymru, yn cynnwys hen fragdy Heolgerrig yn 1916.

Ond yn awr dyma'r llif yn dechrau troi, a bragdai Lloegr yn gweld eu cyfle. Dechreuodd cwrw o Loegr lifo i mewn. Dros y mynydd yn Aberdâr, lle'r oedd tri bragdy o bwys – y Trecynon, y Llew Du a'r George and the Rock – gwelwyd y Llew Du a'r George yn cael eu prynu gan Alsopp.

Pan brynwyd gwaith dur Cwmni Haearn y Rhymni, perchennog Bragdy'r Rhymni gan Powell Duffryn yn 1920, hynny oedd dechrau'r diwedd i fragu yn y cylch. O'r dechrau ceisiodd y perchnogion newydd wethu'r bragdy. Fe'i prynwyd yn y diwedd gan Whitbreads, ac yn 1978 daeth bragu i ben yno.

Ond nid dyna oedd diwedd y stori. Sefydlwyd Bragdy Rhymni o'r newydd ar Stad Ddiwydiannol y Pant ger Dowlais. Cychwynnwyd bragu yno fis Ionawr 2005 gan ganolbwyntio ar gwrw potel, casgen a chwrw barilan.

Os oedd gwres y ffwrneisi yn magu syched, felly hefyd lwch y glo. Ac fe ddatblygodd bragdai ar gyfer diwallu syched glowyr ochr yn ochr â'r

Danfon casgenni o Rock Brewery, Aberdâr

bragdai a godwyd i ddiwallu syched y gweithwyr dur.

Tarddiad y datblygiad hwn oedd Bragdy Trelai yng Nghaerdydd a gychwynnwyd yn ôl yng nghanol y ddeunawfed ganrif. Erbyn 1875 roedd James Ward, a enwodd y fenter yn Fragdy'r Tŵr, yn cynhyrchu tri math o stowt, cwrw chwerw, ynghyd â dewis o gwrw mwyn. Yn union ar draws y ffordd safai bragdy Crosswell, sef y Bragdy Newydd.

Prynodd Ward nifer o dafarndai a dechreuodd symud fyny'r cymoedd, yn gyntaf i Aberdâr cyn llyncu Bragdai Cymoedd y Rhondda yn Nhreherbert a Phontypridd i ffurfio Bragdai'r Rhondda a Threlai. Agorodd hyn y drws at berchnogaeth ymron gant o dafarndai yng nghanol ardal y glofeydd. Yna llyncwyd trydydd bragdy, Bragdai Unedig Pontypridd. Cododd nifer tafarndai'r cwmni i 284. Yna, adeg streic fawr 1926, hawliodd un papur newydd fod 90 y cant o dafarnwyr y Rhondda mewn perygl o fynd yn fethdalwyr. Erbyn 1936 roedd y cwmni mewn dyled o dros gan mil o bunnau.

Yn y cyfamser, ym mhen arall y maes glo, cododd bragdy arall i'r uchelfannau. Yn wir, erbyn canol y bedwaredd ganrif ar bymtheg roedd bragdy Cwm Nedd – y Vale of Neath – yn Llangatwg y bragdy mwyaf yn yr ardal. Yn 1843 difrodwyd tŵr y bragdy gan dân. Aeth saith mlynedd heibio cyn i ŵr busnes lleol, Evan Evans achub y safle. Roedd ganddo eisoes brofiad helaeth yn y diwydiant bragu fel masnachwr brag a chwrw ac roedd yn berchen ar sgwner, a hwyliai rhwng Castell Nedd a Bryste. Un o'r plu yn ei het oedd iddo lwyddo i sicrhau asiantaeth ar gyfer gwerthu Guinness. Aeth ati i droi Bragdy Cwm Nedd y mwyaf yng Nghymru gan werthu, erbyn 1860, fil o gasgenni o gwrw'r wythnos a chyflogi 200 o weithwyr.

Cyfunodd Evan Evans fusnes bragu â busnes glo mewn partneriaeth â'i fab yng nghyfraith, David Bevan. Rhyngddynt perchnogent bedwar pwll glo a byddent yn allforio 800 tunnell o lo y dydd – i Ffrainc yn arbennig. Yna prynwyd dau bwll arall.

Roedd gan Evan Evans saith o ferched ac enwyd un o'r gweithiau glo yn Seven Sisters. Fel ei dad yng nghyfraith, etholwyd Bevan yn Faer Castell Nedd.

Ar farwolaeth Evan Evans olynwyd ef, yn naturiol, gan ei fab yng nghyfraith ac unwyd y ddau enw – Evan Evans Bevan – fel enw'r busnes. Yn ei dro olynwyd Evans Bevan gan ei fab, David Evans Bevan a hwnnw gan ei fab yntau, Martyn. Ond yn raddol collodd y teulu ddiddordeb yn y busnes bragu ac yn 1967 gwerthwyd y cwmni i Whitbread, a oedd eisoes wedi prynu Bragdy'r Rhymni. Ac yna gwelwyd eironi mawr. Cyn i'r fargen gael ei tharo, difrodwyd y bragdy unwaith eto gan dân. Yn 1972, caeodd y bragdy a chollwyd 140 o swyddi.

*Bragdy newydd yn Nowlais, sy'n dwyn yr enw traddodiadol
'Bragdy Rhymni' erbyn hyn.*

Am dros ganrif yn y de diwydiannol bu haearn, glo a chwrw yn gymdeithion. A heddiw mae'r triawd yn dal yn unedig gan fod y tri, fel diwydiannau Cymreig, bron iawn wedi diflannu.

Y CWRW CENEDLAETHOL

Tyfodd Guinness, diolch i farchnata gwych, i fod yn un o eiconau Iwerddon, yn wir, i fod yn brif eicon y wlad hwyrach. A bwriad un o'r unig ddau fragdy mawr sydd ar ôl yng Nghymru bellach yw ail-adrodd llwyddiant ei gefnder Gwyddelig. Yn nodweddiadol, cynhyrchodd eleni gwrw o'r enw Hen Wlad fy Nhadau i ddathlu can mlwyddiant a hanner cyfansoddi ein hanthem Genedlaethol. Nod cwmni Brains yw uniaethu ei hun â Chymru fel bod y ddau yn anwahanadwy.

Erbyn diwedd y mileniwm diwethaf prin fod unrhyw gwrw wedi uniaethu ei hunan gymaint erioed ag un ddinas. Brains oedd Caerdydd. Caerdydd oedd Brains. Ond ar droad y mileniwm newydd fe newidiodd y cwmni ei bwyslais a bellach mae'n awyddus i'w gwrw gael ei dderbyn fel diod Gymreig.

Ar hyd y blynyddoedd, noddodd y cwmni nifer o chwaraeon, yn cynnwys pêl-droed, criced a dartiau. Ond ei nawdd i dîm rygbi Cymru oedd y brif bluen yn ei het. Gwelwyd ein tîm cenedlaethol yn ennill Camp Lawn tymor 2004-05 gyda logo'r cwmni ar eu crysau. I nodi'r nawdd cynhyrchodd Brains gwrw newydd a'i enwi yn Bread of Heaven. A'r bwriad yw parhau i fynd â'r neges y tu hwnt i ffiniau Caerdydd gan droi Brains i fod yn gynnyrch cenedlaethol. Cymerwyd camau breision tuag at gyrraedd y nod wrth i'r cwmni guro cwmnïau byd-enwog fel Coca Cola, O2 ac Orange yn y ras am Frand Nawdd 2006. Pluen arall yn het y cwmni yw bod arolwg barn wedi dangos fod 70 y cant o'r rhai a holwyd wedi nodi Brains SA fel y cwrw mwyaf adnabyddadwy yng Nghymru.

Tref fechan oedd Caerdydd yn 1713 pan gychwynnwyd bragu mewn man a enwyd fel yr Hen Fragdy, yr ardal o Gaerdydd lle ceid y cyflenwad gorau o ddŵr. Safai'r bragdy ar ben ffynnon ddofn. Dengys cofnodion mai dim ond un bragdy oedd yng Nghaerdydd yn 1831, sef bragdy James Walters. Wedyn daeth yn dŷ brag Frederick Prosser erbyn 1858 ac yna daeth i berchnogaeth John Thomas, a'i drosglwyddodd i'w feibion, John Griffen Thomas ac Edward Inkerman Thomas. Yna prynodd John y busnes ei hun.

Eironi mawr yw'r ffaith mai'r Ddeddf Cau Tafarndai ar y Sul a fu'n gyfrifol am i'r busnes ddod i ddwylo Brains. Dywed Brian Glover yn ei gyfrol *Prince of Ales*:

'Bu'r brwydro dros gau ar y Sul yn tyfu gydol yr 1860au a'r 1870au.

Penderfynodd cynhadledd yn Abertawe yn 1875 y dylid cyflwyno mesur i'r Senedd yn arbennig ar gyfer Cymru 'yn darparu ar gyfer cau tai tafarn yn llwyr ar Ddydd yr Arglwydd'. Gyda'r Marchogion Temlaidd Da yn arwain, dechreuodd y sioe fagu nerth. Roedd deisebau'n cynyddu.'

Pan basiwyd deddf yn gwahardd yfed ar y Sul yn 1881, penderfynodd John Griffen Thomas werthu'r cyfan i'w frawd yng nghyfraith, Samuel Arthur Brain ac ewythr hwnnw, Joseph Benjamin Brain. A dyna pryd y trodd Yr Hen Fragdy yn Fragdy Brains. Mae'n dal yn nwylo'r un teulu hyd heddiw. Bron ar unwaith aeth y ddau berchennog newydd ati i godi adeilad y tu ôl i'r Hen Fragdy, a safai y tu ôl i dafarn yr Albert yn Stryd y Santes Fair. Gallai'r bragdy newydd fragu saith gwaith yn fwy o gwrw na'r hen le.

O ganlyniad i'r Ddeddf newydd, trawodd y diwydiant bragu yn ôl. Dechreuwyd cynhyrchu cwrw mewn poteli, a oedd yn addas i'w prynu ar gyfer mynd â nhw adre ar gyfer bwrw'r Sul. A sefydlwyd Clybiau'r Gweithwyr, wedi'u trwyddedu i fod yn agored ac i werthu cwrw ar y Sul. Yn 1881 doedd ond un clwb o'r fath yng Nghaerdydd. Erbyn 1883 roedd yno 13. Dair blynedd yn ddiweddarach ac roedd yno 141, gyda Brains yn cyflenwi llawer ohonynt. Pan brynodd Brains y busnes yn 1882 roedd y bragdy yn berchen ar unarddeg o dafarndai. Erbyn 1900 roedd yr ymerodraeth wedi ehangu i dros 80 o dafarndai. Erbyn hynny roedd y bragdy yn cynhyrchu tua 1,500 o gasgenni'r wythnos.

Yn ogystal â bod yn ddyn busnes craff roedd Samuel Brain hefyd yn ddyn amlwg mewn llywodraeth leol a gwnaed ef yn Faer Caerdydd yn 1899. Erbyn hynny roedd wedi cofrestru'r cwmni yn un cyfyngedig a'r busnes yn werth £350,000. Pan fu farw Samuel Brain yn 1903 gadawodd ar ei ôl fusnes llewyrchus i'w olynwyr teuluol. Yn ogystal gadawodd ar ei ôl gwrw SA, a enwyd ar ôl prif lythrennau ei enw, Samuel Arthur – er i'r llythrennau yn ddiweddarach gael eu hadnabod fel 'Skull Attack', cyfeiriad at gryfder y cwrw SA.

Penderfynodd y cwmni ehangu ei orwelion drwy godi adeiladau ychwanegol mewn gwahanol rannau o'r ddinas. Fel rhan o'r ad-drefnu cymerwyd drosodd safle Bragdy'r Cambrian yn Stryd Womanby. Tarfwyd ar y cynlluniau ehangu gan y Rhyfel Mawr ond yn 1919 agorwyd bragdy newydd a godwyd yn Stryd Nora a dymchwelwyd yr hen adeiladau. Erbyn hyn bragai'r cwmni bob math o gwrw casgen a chwrw potel yn yr Hen Fragdy a'r Bragdy Newydd yn cynnwys cwrw'r Ddraig Goch, a ddeuai'n ddiweddarach i gael ei adnabod fel 'Brain's Dark', ac a ddaeth, gyda phasteiod Clarkes, i fod yn eicon o Gaerdydd.

Hen Fragdy Brains 1890, gyda'r adeilad gwreiddiol ar y chwith. Bu stac y simnai yn rhan o dirlun y ddinas hyd 1978 pan gafodd ei dymchwel. Isod: tu mewn y bragdy.

Roedd cwrw Brains mor boblogaidd fel nad oedd angen ei hysbysebu. Ond dyfeisiwyd slogan slic, 'It's Brains You Want'. Ac aethpwyd gam ymhellach drwy droi'r enw 'Brains' i'r ffurff 'BrAIns'.

Wrth i ddociau Caerdydd ddod yn enwog ledled y byd, felly hefyd y daeth cwrw Brains yn gyfarwydd i forwyr o bob cenedl dan haul a fyddai'n ymweld â'r dociau. Tyfodd tafarn y North and South yn chwedl. Gweithredai bron iawn fel banc, gyda'r dafarnwraig, Mrs Bryant yn cadw arian ac eiddo morwyr a oedd yn gadael am bellafoedd byd yn ddiogel nes iddynt ddychwelyd. A heddiw mae'r Packet yn dal i atgoffa trigolion hynaf y ddinas o'r dyddiau da.

Tyfodd ymerodraeth Brains i tua 120 o dafarndai, rhai ohonynt yn dod yn sefydliadau fel The Old Arcade, atynfa i gefnogwyr rygbi, ac yn arbennig y Golden Cross sy'n wynebu pen agosaf Stryd Bute, gyda'i henghreifftiau godidog o addurniadau teils. Bu'r bocsiwr enwog Jim Driscoll yn cadw'r Duke of Edinburgh, sydd wedi hen gau.

Erbyn saithdegau'r ganrif ddiwethaf cafodd dyfodiad CAMRA ddylanwad cadarnhaol ar gwmnïau fel Brains. Cynyddwyd y bragu o hanner cant y cant yn yr Hen Fragdy. Erbyn diwedd 1979 cwblhawyd cynllun ehangu enfawr gwerth ymron £3 miliwn gan godi gallu cynhyrchu'r bragdy i 18 miliwn peint o gwrw'r flwyddyn. Ac erbyn hyn roedd Brains yn werddon Gymreig ynghanol diffeithwch o fragu Seisnig. Yma dylem oedi. Rhaid cyfeirio at fragdy mawr o Loegr a geisiodd ddisodli Brains a phob bragdy arall yn ne Cymru a safai ar ei ffordd. Breuddwyd Cwmni Hancocks, a oedd â'i wreiddiau yn Wiveliscombe ar draws Môr Hafren, oedd elwa ar dwf meysydd glo de Cymru. Ac am gyfnod fe lwyddodd i reoli'r farchnad gwrw yno gan wneud HB yn un o brif ddiodydd meddwol Cymru.

Erbyn 1871 roedd dau o asiantau'r cwmni Seisnig, John a Joseph Gaskell – tad a mab – wedi sicrhau troedle ar gyfer dosbarthu cynnyrch y cwmni yn Noc Gorllewinol Bute yng Nghaerdydd. Cam bychan yn awr oedd i'r cwmni gychwyn bragu yng Nghymru. Yn 1883 prynwyd Bragdy North a Low a'i gadwyn o dafarnau yn Nociau Caerdydd a gwnaed y tad a'r mab yn rheolwyr. Flwyddyn yn ddiweddarach prynwyd Bragdy'r Angor yng Nghasnewydd a sefydlwyd cangen annibynnol o Hancocks yng Nghymru. Cofrestrwyd cwmni William Hancock, a'i gasgliad o dros 70 o dafarnau yn y de-ddwyrain, ym mis Mehefin 1887.

Ymserchodd Hancocks ei hun â'r bywyd hamdden Cymreig wrth i un o'r meibion, Frank chwarae rygbi dros Gaerdydd a dod yn gapten ar Gymru. Ar y llaw arall, roedd ei frawd, Philip yn chwarae dros Blackheath, Lloegr a'r Llewod Prydeinig.

Lledodd ymerodraeth Hancocks yn gyflym ac erbyn yr 1890au roedd yn berchen ar tua 300 o dafarnau clwm a chant arall o dafarnau cysylltiol ac roedd yn gyfrifol am ddau draean o werthiant cwrw Caerdydd. Cynhyrchai ddwy fil o gasgenni'r wythnos, ac mewn tair blynedd ar ddeg llwyddodd i greu'r busnes bragu a photelu mwyaf yng Nghymru.

Polisi Hancocks oedd llyncu pob bragdy llai a safai yn ei ffordd a chanoli ei fusnes ar un safle yng Nghaerdydd. Fel cam tuag at hyn, prynodd Fragdy'r County yn Heol Penarth ac ymledodd dalgylch y busnes tua'r gorllewin mor bell â Llanbed.

Adeg y Rhyfel Mawr, recriwtiwyd dau o geffylau gwedd Hancocks, King a Bob i lusgo gynnau mawr yn Ffrainc a Gwlad Belg. Daeth y ddau yn arwyr gwlad a chael eu lluniau ar bosteri hysbysebu'r cwmni. Strôc gyhoeddusrwydd arall fu adeiladu tancer gwrw ar ffurf potel, y 'Flagon Wagon'. Lleolwyd arwyddion neon yma ac ar draws strydoedd Caerdydd a mabwysiadwyd arwyddlun y cwmni ar ffurf John Bull. Yn ddiweddarach daeth Arwyddion Lletygarwch y cwmni yn eiconau cyfarwydd.

Ymddangosai nad oedd unrhyw beth a allai atal ymdaith Hancocks. Gwthiodd ei ffordd i fyny i Ferthyr Tudful. Enynnodd ei lwyddiant ddiddordeb Bass Worthington, a lluniwyd partneriaeth anffurfiol. Yn 1961, penodwyd cadeirydd Hancocks, Joseph Gaskell ar fwrdd Bass Worthington.

Ymlaen y cerddodd Hancocks gan gyrraedd Aberystwyth, lle prynodd Fragdy Roberts. Roedd David Roberts wedi sefydlu bragdy yn Nhrefechan ar gyrion y dre yn 1844 ger yr harbwr, lle ceid dwy ffynnon. Ynghyd â'i ddau fab, ffurfiodd gwmni preifat a meddiannodd drichwarter o dafarnau'r dref. Cododd dri gwesty ei hun, y tri yn dal i weithredu, sef y Cambrian, y Central a'r Castell. Yna llyncodd Fragdy Facey yn y Fenni gan ddod yn berchen cant o dafarnau a dalgylch yn ymestyn o Dywyn i'r Drenewydd ac ar draws o Landeilo i Hwlffordd.

Yn 1960, prynwyd y cwmni gan Hancocks am £680,000 ac ychwanegodd 117 o dafarnau at ei ymerodraeth. Bragdy Roberts oedd yr ugeinfed i'r cawr Seisnig ei

Danfon cwrw Hancocks ym Merthyr Tudful yng nghanol y 1950au

llyncu. Ac er iddo addo cadw enw Roberts yn fyw, daeth bragu yn Aberystwyth i ben. Yng Nghaerdydd, yn y cyfamser, aeth y cwmni o nerth i nerth. Ychwanegodd at ei gwrw ddau ychwanegiad poblogaidd iawn, Barley Bright ac Allbright.

Yna dyma Bass Worthington, a oedd eisoes wedi cyfuno â Hancocks, yn ffurfio Welsh Brewers. Er gwaetha'r enw gwladgarol, câi'r busnes ei weinyddu yn Burton a Llundain a newidiwyd enw'r cwmni i Bass Wales and West. Yna prynwyd Ind Coope o Burton a chaewyd y safle canolog yng Nghaerdydd gan golli 126 o swyddi.

Erbyn hynny, dim ond un eicon a safai yng Nghaerdydd i nodi cysylltiad y ddinas â Hancocks – yr arwydd Allbright ar y simnai dal yn Stryd Crawshay. Disgynnodd y safle i ddwylo Brains, a rhwbiwyd halen yn y briw wrth i'r cwmni Cymreig fabwysiadu cwrw mwyaf llwyddiannus Hancocks gynt, sef HB.

Mae yna hen ddywediad yn Saesneg am bysgod bach yn cael eu traflyncu gan bysgod mwy, a dyna a welwyd yn digwydd. Wedi i Hancocks a'r cwmnïau â'u llyncodd gael eu llyncu gan fragdai mwy, llyncwyd y cyfan gan Interbrew o Wlad Belg. Fe'i gorfodwyd o dan y Deddf Fasnach Deg i werthu rhai daliadau o'i fenter Bass a phrynwyd y rheiny gan gawr mawr o America, sef Coors.

Yna, yn 1982 dathlodd Brains eu canfed pen-blwydd gyda chyhoeddi Cwrw Canmlwyddiant (*Centenary Ale*) ac yna, ddwy flynedd yn ddiweddarach agorwyd siop gerllaw yn Stryd y Santes Fair lle gwerthir ddim yn unig enghreifftiau o gwrw potel y cwmni ond pob math ar nwyddau hefyd. Dyma oedd cychwyn yr ymgyrch farchnata sydd erbyn hyn yn dwyn ffrwyth. Dechreuodd y cynnyrch ymledu o dde Cymru ac yng Ngŵyl Gwrw Llundain yn 1991 dyfarnwyd y wobr gyntaf am gwrw mwyn i 'Brain's Dark'. Llamodd yr archebion o Ewrop a'r UD.

Dyma hefyd pryd y penderfynodd y cwmni ehangu dros y ffin gan fod yn rhan o ddatblygiad marina newydd yng Nghaerfaddon. Yng Nghaerdydd agorwyd canolfan gwerth £3 miliwn ar hen safle glo ger Doc Dwyreiniol Bute fel hwb i'r ymgyrchoedd arlwyo ac allforio. Prynwyd gwesty Churchills am £3 miliwn.

Ni fu pob ymgyrch yn llwyddiant a chymerwyd ambell gam gwag, yn arbennig ym maes lager, lle'r oedd y cwmnïau mawr yn dal i reoli. Ond yn 1997 dyma Brains yn prynu cwmni Crown Buckley, cwmni a grëwyd ddegawd yn gynharach drwy uno Crown Clubs a Bragdy Buckleys yn Llanelli. Golygodd hyn greu cwmni gyda gwerthiant a oedd yn gyfystyr â £60 miliwn y flwyddyn a chymaint â 200 o dafarndai.

Wrth lyncu Crown Buckley daeth Brains o dan lach caredigion cwrw traddodiadol. Cynhaliwyd angladd ffug ar y safle yn Llanelli. Lleddfwyd y protestio i raddau wrth i gwrw'r Reverend James, cynnyrch enwog gan Buckley, gael ei fabwysiadu gan Brains. Yr un flwyddyn caewyd yr Hen Fragdy a throwyd y safle yn ganolfan yfed enfawr lle tynnwyd 50,000 o beints ar gyfer 15,000 o gefnogwyr adeg Cwpan Rygbi'r Byd. Aethpwyd ymlaen i droi'r safle yn lle bwyta moethus a thafarn.

Dechreuodd y cwmni ehangu allan o Gaerdydd gan brynu tafarndai mor bell i'r gogledd ag Aberystwyth gan ymledu ar yr un pryd i Abertawe a Threfynwy. Ac agorwyd cadwyn o fariau caffi fel Bar Essential, Salt, Bar 88 a'r Terra Nova ynghyd â chadwyn o dai arlwyo, Highway Taverns. Llyncwyd cwmni cyflenwi James Williams yn Arberth ac yna Steadmans o Gasnewydd. Yna prynwyd cwmni Inkeepers Wales, Aberteifi gan godi nifer tafarndai'r cwmni i dros 250 a chyfanswm bragu yn 2004 dros 25 miliwn peint a thros 80,000 casgen.

Profodd y cwmni wirionedd ei slogan ei hun mewn mwy nag un ystyr: 'It's Brains You Want'. Bellach nid Cwrw Caerdydd yw Brains ond Cwrw Cymru – a'r byd.

CAN LLWYDDIANT

Dim ond dau fragdy mawr sydd ar ôl yng Nghymru erbyn heddiw ac un o'r rhesymau pam mai Bragdy Felinfoel yw un o'r rheiny yw iddo gyfuno dau gynnyrch lleol, tun a chwrw. Felinfoel oedd y bragdy cyntaf yn Ewrop – ac ymron iawn yn y byd – i gynhyrchu cwrw mewn can.

Sefydlwyd y bragdy yn dilyn penderfyniad David John, diwydiannwr lleol ganol tridegau'r bedwaredd ganrif ar bymtheg, i brynu tafarn y King's Head yn Felinfoel, pentref sydd bellach yn rhan o Lanelli. Nid tafarn gyffredin oedd hon ond gwesty a oedd yn fan galw i'r goets fawr. Yn wir, roedd gan y gwesty efail gof ar gyfer pedoli ceffylau'r goets.

Yn fuan iawn penderfynodd y perchennog mai peth da fyddai newid enw'r gwesty gan ollwng yr enw brenhinol. Ar y pryd roedd Merched Beca wrthi'n ymosod ar dollbyrth yn y fro, a safai tollborth ar draws y ffordd i'r gwesty. Newidiwyd enw'r gwesty felly i'r Union Inn.

Bragai'r gwesty ei gwrw ei hun – yn ystod y gaeaf yn unig i gychwyn – a dechreuodd gyflenwi tafarndai cyfagos hefyd. Yna aeth David John ati i godi bragdy ar draws y ffordd ar ei dir ei hun lle tyfai perllan. Codwyd

David John, sylfaenydd bragdy Felinfoel

Bragdy Felinfoel heddiw

storfa wedyn ar safle'r cyrtiau tennis. Bu'r fenter yn llwyddiant a buan cyflogwyd hanner-cant o weithwyr.

Roedd i'r lle awyrgylch gymdeithasol. Byddai cymdogion a oedd yn cadw moch yn eu gerddi cefn yn galw yn y bragdy i gasglu soeg i'w fwydo i'w creaduriaid. Pan ddeuai'n amser i fochyn gael ei ladd, câi'r cymdogion ddigonedd o ddŵr berwedig o'r bragdy ar gyfer crafu a glanhau'r creadur. Defnyddid dŵr o'r bragdy hyd yn oed pan ddeuai diwrnod golchi. Benthycid ysgolion o'r bragdy a châi offer ac arfau eu hogi yno.

Roedd i'r fangre lle bragid diod y diafol gysylltiad agos â Christnogaeth. Llifai afon Lliedi drwy'r safle, ac ynddi – nid nepell o'r bragdy – fe fedyddiwyd nifer o gredinwyr adeg Diwygiad 04-05 gan y Parchg Benjamin Humphreys. Ceid cysylltiad cryf hefyd ag ail grefydd Llanelli gan mai yn yr Union Inn y cynhelid pwyllgorau'r clwb rygbi lleol. Bu Clwb Rygbi Felinfoel yn fagwrfa i nifer o sêr a aeth ymlaen i chwarae dros Lanelli a Chymru, y mwyaf, hwyrach, yn ein dyddiau ni oedd Phil Bennett.

Dechreuodd busnes y bragdy ehangu i dair sir Dyfed, a daeth arwydd y cwmni, y Ddraig Goch ar gefndir gwyrdd yn un cyfarwydd ar dafarnau'r tair sir. Ar ôl ymddeoliad y tad, trosglwyddwyd yr awenau i ddau o'r meibion, David a Martin ynghyd â'u chwaer, Mary Anne a'i gŵr, John Lewis. Yn anffodus roedd Lewis, rheolwr Gwaith Haearn y Wern, yn gamblwr ac yn yfwr trwm. Dywedir iddo golli un gwaith tun ar droad un garden wrth gamblo. Yn 1920 fe saethodd ei hun yn farw yn swyddfa'r bragdy. Ond dywedir i'w weddw barhau i reoli'r bragdy gyda disgyblaeth lem. Cariai bastwn trwm, ac os na wnâi gweithiwr ufuddhau, câi ddioddef ergydion y pastwn ar ei gefn. Mae'r pastwn hwnnw i'w weld yn y bragdy hyd heddiw.

Er gwaethaf rheolaeth haearnaidd Mary Anne, dechreuodd busnes edwino a dechreuodd y teulu ystyried cyfuno'r diwydiant tun lleol â'r bragu. Y gobaith oedd y byddai'r ddau ddiwydiant yn atgyfnerthu ei gilydd. Roedd ymchwil ar waith ar gyfer cynhyrchu cwrw mewn caniau, yn arbennig yn America. Câi cig, ffrwythau a llysiau eu canio eisoes, yn wir ers 1812. Ond roedd cwrw yn fater arall. Ceid hi'n anodd creu caniau na wnâi eu cyfansoddiad adweithio â'i gynnwys gan greu blas annifyr. Ond aeth Bragdy Felinfoel ymlaen â'r syniad gan anfon haenau tunplat lleol o'r Bynea at gwmni Metal Box yn Llundain i'w troi'n ganiau.

Roedd hwn yn syniad chwyldroadol ac ymarferol gan mai Llanelli oedd prifddinas y gwaith tun a thunplat. Yn wir, câi'r dref ei hadnabod fel Tinopolis. Ac ar 3 Rhagfyr, 1935 adroddodd y papur lleol am y fenter chwyldroadol a lansiwyd yn Felinfoel. 'Cwrw Can Wedi Cyrraedd,' meddai. 'Proses yn Creu Cyfnod Newydd ym Mragdy Felinfoel. Gobaith Newydd i'r Diwydiant Tunplat'. Ar 19 Mawrth, 1936 aeth y cyflenwad cyntaf o gwrw caniau yn Ewrop ar werth. Nid caniau ar ffurf y rhai a geir heddiw oedd y rhain ond rhai gyda'u topiau'n gonigol gyda chapiau fel y rhai a geid ar y poteli yn eu cau. Gwawdiwyd hwy gan rai o gystadleuwyr Felinfoel gan eu cymharu â thuniau Brasso. Ceisiodd bragdy cyfagos Buckley yn Llanelli daflu dŵr oer ar y datblygiad drwy honni eu bod hwy hefyd wedi datblygu cwrw caniau ond eu bod am oedi er mwyn cael y blas iawn cyn ei roi ar y farchnad.

Yr Americanwyr oedd yr unig rai i achub y blaen ar Felinfoel wrth i gwrw Krueger fynd ar y farchnad mewn caniau. Ond hyd yn oed wedyn, hawliodd Felinfoel y blaen. Cyn profi llwyddiant bu'n rhaid i Krueger addasu'r cwrw ar gyfer y caniau tra llwyddodd Felinfoel i addasu'r caniau ar gyfer y cwrw. Hynny yw, llwyddodd heb ddifetha blas traddodiadol y cynnyrch.

O fewn misoedd yn unig, yfwyd cynnwys chwarter miliwn o ganiau. Erbyn diwedd 1936 roedd y bragdy wedi cynhyrchu miliwn o ganiau cwrw. Ar gyfer coroniad Siôr VI cynhyrchwyd bragiad arbennig o gwrw, y 'Famous Strong Ale' mewn caniau. Ond buan y sylweddolwyd fod cynhyrchu caniau yn ddrutach na chynhyrchu'r poteli traddodiadol. A doedd y broses o hyd ddim yn berffaith. Os cedwid cwrw yn y can yn rhy hir, gwrthweithiai â'r cwyr a ddefnyddid fel haen ar du mewn i'r can.

Ar y llaw arall roedd y caniau'n ddelfrydol ar gyfer eu hallforio. Yn wahanol i boteli, doedd dim angen eu danfon yn ôl yn wag. Gwelwyd mantais hyn adeg yr Ail Ryfel Byd wrth i ganiau o gwrw Felinfoel gyrraedd y milwyr ar y ffrynt. Arwyddwyd cytundeb i gyflenwi'r NAFFI, busnes cyflenwi ac arlwyo'r Fyddin Brydeinig. Mater o falchder i aelodau o Fyddin Diriogaethol Llanelli a oedd allan ar Ynys Melita oedd cael yfed cwrw a fragwyd yn eu hardal eu hunain. Câi aelodau o'r 'Desert Rats'

yng ngogledd Affrica hefyd flasu'r hylif o Felinfoel.

Ymhell wedi'r rhyfel parhaodd yr allforio. Arwyddwyd cytundeb â Chymro a gadwai westy yn Penang am gyflenwadau rheolaidd o ganiau o Double Dragon. Aethpwyd ati i gynhyrchu cwrw a stowt yn arbennig ar gyfer y farchnad dramor, ond mewn poteli y danfonid y rhain. Yn yr wythdegau anfonid 650 o gasgenni i Galiffornia.

Ond erbyn hyn roedd y bragdy mewn trafferthion ac ar ymyl dibyn methdaliad. Collodd 30 y cant o'i fasnach ac ar ben hynny bu gwrthdaro rhwng teulu'r brodyr John a theulu'r chwaer, y Lewisiaid. Symudwyd prif swyddfa'r cwmni i Lundain, lle'r oedd gan y Lewsiaid ddiddordebau busnes. Ac yn hofran uwch eu pennau fel fwltur roedd cwmni Buckley o Lanelli gerllaw yn gwneud cynigion na allai Felinfoel eu gwrthod ar chwarae bach. Yn wir, meddiannodd Buckley ymron hanner y cyfranddaliadau ond heb fedru cael rheolaeth lwyr. Gwrthododd Felinfoel gynnig gwerth £500,000.

Talodd dyfalbarhad y perchnogion Moderneiddiwyd y bragdy yn 70au'r ganrif ddiwethaf a llwyddwyd i symud y brif swyddfa yn ôl i Felinfoel. Yn 1976 coronwyd y cwmni gyda llwyddiant yn Brewex, Arddangosfa'r Bragwyr yn Llundain wrth i gwrw Double Dragon ennill y Cwpan Her fel y cwrw baril gorau. I'r perchnogion a'r gweithwyr roedd hyn yn gyfystyr â Chymru'n ennill Cwpan Rygbi'r Byd. Ar ben hyn enillodd cwmni chwerw'r cwmni hefyd wobr gyntaf.

Erbyn hyn mae gan Fragdy Felinfoel dafarndai ledled y de-orllewin ac i fyny i ganolbarth Cymru. Mae'n arbenigo ar gwrw casgen a chwrw llyfn – Cambrian Bitter, Double Dragon a Best Bitter – yn ogystal â Stowt Felinfoel. Ac mae'n dal i werthu cwrw mewn caniau.

Os digwydd i chi fod yn berchen ar un o ganiau cwrw gwreiddiol Felinfoel, yn enwedig un heb ei agor, trysorwch ef. Mae'r caniau gwreiddiol yn bethau prin iawn.

Pennod 8

Y PARCHEDIG A'R PEINT

Mae'n rhaid mai Bragdy Buckley yw'r unig fragdy masnachol mewn hanes i gael ei redeg gan weindog yr efengyl. Fe geir hanes am Glerc Eglwysig Urddedig, y Parchedig G. J. Hughes a oedd ymhlith tanysgrifwyr i Fragdy Mona, a sefydlwyd yn Llanfachreth, Ynys Môn yn 1841. Dywedir i'r bragdy hwnnw gael ei losgi i'r llawr gan weddw ddialgar perchennog y stad lle safai'r bragdy wedi i hwnnw farw o effeithiau alcohol a fragwyd ar ei dir.

Roedd Bragdy Buckleys yn fater gwahanol iawn. Mewn cyfnod pan oedd y mudiad dirwestol yn gryf, bu gweinidog yr efengyl yn allweddol i lwyddiant y fenter. Do, llwyddodd y Parchg James Buckley i gyfuno'r Ddinas Gadarn a'r ddiod gadarn. Ac fe'i coffeir hyd heddiw gan gwrw – a chan dafarn – sy'n dwyn ei enw, Reverend James.

Mae'r stori'n cychwyn yn 1760 gyda dyfodiad llanc ifanc deunaw oed, Henry Child i Lanelli o ardal Hwlffordd. Daeth yno i weithio fel asiant i'r tirfeddiannwr Syr Thomas Stepney, sydd â'i enw'n dal yn fyw yn Llanelli ar stryd ynghanol y dref ac ar westy. Naw mlynedd yn ddiweddarach fe gymerodd Child dafarn y Talbot's Head ar les a gwnaeth yr un peth gyda'r Carmarthen Arms cyn mynd ati i godi'r White Lion. Yna aeth ati i dyfu grawn a chymerodd ddwy felin flawd ar les, yn y Felinfoel ac yn

Hen fragdy Buckley yn Llanelli

75

Llanelli. Roedd yn naturiol iddo wedyn, gyda'i dafarndai a'i rawn, i ddechrau bragu ei gwrw ei hun. Llwyddodd i sicrhau, ar les, ddarn o dir y tu ôl i Stryd Thomas am 55 mlynedd.

Yn 1769 ymwelodd John Wesley â Llanelli am y tro cyntaf a thybir i Childs ddod o dan ei ddylanwad a chael tröedigaeth. Rhaid bod rhywfaint o wir yn hynny gan i Childs godi capel yn ei ardd yn Stryd y Gwynt yn 1792. Gyda Childs y byddai'r pregethwyr teithiol yn lletya. Ond ni aeth y droedigaeth mor bell a pherswadio Childs i roi'r gorau i fragu.

Ymhlith y pregethwyr teithiol hyn roedd James Buckley, gŵr o Oldham. Wrth iddo geisio cyrraedd Llanelli yn 1794 bu bron iddo foddi wrth rydio afon Llwchwr. Fe'i cynorthwywyd i ddod allan o'r aber gan rywun lleol. Coffeir ei ddihangfa hyd heddiw gan dafarn yng Nghasllwchwr sy'n dwyn ei enw. Aeth Buckley yn ei flaen a chael lloches dros nos gan Childs. Ac yno y cyfarfu â merch Childs, Maria. Priodwyd y ddau yn 1797, ac ar farwolaeth ei dad yng nghyfraith cafodd Buckley ei hun yn weinidog ac yn fragwr.

Llwyddodd Buckley i gyfuno'r ddwy swyddogaeth yn rhyfeddol, er mai ei feibion oedd yn bennaf gyfrifol am y fusnes fragu. Yn wir, doedd dim dianc i Buckley rhag dylanwad cwrw. Dywedir iddo, tra oedd yn gwasanaethu yng Nghaerfyrddin rhwng 1827 a 1829, sylweddoli fod ei gapel wedi ei godi uwchben bragdy. Sbardunodd hyn rhyw fardd lleol anhysbys i ganu:

> *Spirits above and spirits below,*
> *Spirits of bliss, spirits of woe.*
> *The Spirit above is the Spirit Divine,*
> *The spirit below is the spirit of wine.*

Pan fu farw Buckley yn 1839, claddwyd ef ym mynwent yr eglwys, yn union ar draws y ffordd o'i fragdy. Cymerwyd at y busnes cwrw gan ei ail fab, hwnnw hefyd yn James. Fe'i disgrifir fel meistr llym ac fel dyn moesol. Bu yng ngofal y bragdy tan ei farwolaeth yn 1883 yn 81 mlwydd oed ar ôl 43 mlynedd wrth y llyw. Olynwyd ef gan ei ddau fab, James a William Joseph a newidiwyd enw'r bragdy i'r Brodyr Buckley.

Ymwelwyd â'r bragdy gan y teithiwr, yr artist a'r awdur Alfred Barnard, a gyhoeddodd *Noted Breweries of Great Britain and Ireland* yn 1890. Dim ond pedwar bragdy yng Nghymru oedd yn deilwng o sylw gan Barnard. Y tri arall oedd Brains, Pont-y-capel ger Merthyr Tudful a Soames o Wrecsam. Disgrifiodd y lle fel adeilad uchel ac wedi ei godi'n gadarn ar y safle bedair erw. Canfu yno 7,000 o gasgenni o gwrw ynghyd â lle storio ar gyfer 5,000 o gasgenni. Canmolodd geffylau'r bragdy, deunaw ohonynt, fel rhai nad oedd eu tebyg yng Nghymru.

Pan drowyd y bragdy yn gwmni cyfyngedig ddiwedd 1894 roedd y busnes yn werth dros £162,000 ac roedd yn berchen neu'n prydlesu 120 o dafarndai. Gwerthid 23,000 casgen y flwyddyn. Ymestynnai dalgylch y bragdy draw at Ddinbych-y-pysgod, fyny i Gastellnewydd Emlyn, Caerfyrddin, San Clêr, y Mwmbwls, Rhydaman a Maesteg.

Ond daeth ergyd i'r cwmni pan fu farw James yn sydyn yn 58 mlwydd oed yn 1895. Yn Uchel Siryf ac yn ddyn dylanwadol iawn gadawodd ar ei ôl £65,000. Gadawodd hyn y brawd iau, William Joseph i redeg y busnes. Ond aeth William Joseph i ddyfroedd dyfnion wrth iddo brynu bragdy arall. Roedd perchennog y Bragdy Newydd, William Bythway wedi bod yn rheolwr ar gwmni Buckley ond wedi cweryla â'r teulu am amodau ei gyflogaeth a'i gyflog isel. Gadawodd er mwyn cychwyn ei fragdy ei hun, y Bragdy Newydd. Pan osododd Bythway ei fragdy ar y farchnad, aeth Buckley ati i geisio'i brynu. A thrwy lurgunio'r ystadegau llwyddodd Bythway i gael £74,000 am ei fragdy er bod ei wir werth yn is na £20,000. Ond llwyddodd Buckley i wyrdroi'r twyll yn elw wrth i nifer tafarndai Buckley godi i 216 a chyfanswm cynhyrchu i dros 36,000 o gasgenni.

Yna aeth William ati i brynu bragdy yng Nghaerfyrddin. Roedd y Carmarthen United Breweries yn gyfuniad o fragdy'r Brodyr Norton a'r Merlin Brewery. Achosodd yr uniad ffrwgwd enfawr ac elwodd Buckley ar yr anghydfod i brynu'r busnes yn rhad yn 1900. Ymhen tair blynedd arall enillodd Buckley warant Frenhinol Tywysog Cymru. Y flwyddyn wedyn enillodd Buckley brif Fedal Aur Arddangosfa'r Bragwyr yn Llundain ac yn 1911 enillodd y Fedal Aur am gwrw a stowt yn Arddangosfa Paris. A phan ddyrchafwyd Tywysog Cymru i'r orsedd yn 1910 penodwyd Buckleys yn fragwyr brenhinol.

Fel pob bragdy arall, effeithiwyd yn ddrwg ar Buckleys pan dorrodd y Rhyfel Mawr. Cymerwyd y cerbydau oddi wrth y cwmni a'u hanfon i Ffrainc i gludo milwyr ac arfau. Ac o'r 64 o aelodau staff a alwyd i'r rhyfel, anafwyd eu hanner a lladdwyd pump. Ond wedi'r rhyfel ail-gydiodd y bragdy'n llwyddiannus gan ddod yn berchen ar dafarndai yn ymestyn o arfordir Ceredigion i Abertawe a chymoedd Nedd.

Achosodd llwyddiant y bragdy i Buckley ddod yn darged i ddarpar-brynwyr. Ond tyngodd y teulu na châi'r busnes fyth ei werthu. Yn y cyfamser, dechreuodd y cwmni allforio'i gwrw potel, y 'Special Welsh Ale', i India a De America ac yna i Dde Affrica ac Awstralia.

Ar hyd y blynyddoedd, anwadal fu'r busnes ond ymddangosai fod llw'r teulu i beidio byth â gwerthu Buckleys yn dal yn gadarn. Yn 1989 unwyd y bragdy â'r Crown Brewery a sefydlwyd cwmni Crown Buckley.

Ac yna, yn 1997, prynwyd y busnes gan Brains. Daeth bragu i ben ar y safle yn Llanelli ond parhaodd Brains â'r cysylltiad drwy fragu cwrw Reverend James a chwrw chwerw Buckley's Best.

Yna penderfynodd un o ddisgynyddion y teulu, Simon Buckley, geisio ennill y cwmni'n ôl pan wnaeth gynnig gelyniaethus gwerth £80 miliwn am Brains. Ofnai fod pwrcasiad Brains o fusnes ei hynafiaid yn gam cyntaf i fynd â Buckleys allan o Gymru. Gwrthodwyd ei gynnig, ond nid dyma ddiwedd y stori cyn belled ag yr oedd cysylltiad Simon Buckley a bragu yn y cwestiwn.

Hen dafarnau fyddai'n gwerthu cwrw Buckley

PRIFDDINAS Y BRAG

Mae gan bob bragwr ei gyfrinach pan fydd yn sôn am ei rysáit. Bob amser mae yna gynhwysyn cyfrinachol sy'n rhoi blas arbennig i'r cwrw. Ond yn y bôn, byddai unrhyw fragwr gwerth ei hopys yn cyfaddef mai natur y dŵr, gan amlaf, sy'n gwahanu cwrw da oddi wrth gwrw nad yw cystal. A natur dŵr yr ardal, yn sicr, fu'n gyfrifol am wneud un dref yn brifddinas y cwrw a chael ei bedyddio yn 'Burton Cymru'.

Mae gan Wrecsam draddodiad hir a chyfoethog o fragu. Yn nyddiau Glyndŵr, pan fu gwarchae'n gyfrifol am atal bwyd a dŵr i gyrraedd gogledd Cymru cododd trigolion Wrecsam eu lleisiau'n groch mewn protest – nid oherwydd absenoldeb bwyd a dŵr ond oherwydd absenoldeb cwrw.

Yn yr ail ganrif ar bymtheg, ceir hanes am filwyr Cromwell adeg y Rhyfel Cartref yn gadael y fyddin yng Nghaer i bicio dros y ffin i yfed cwrw yn Wrecsam. Yn ddiweddarach beiwyd cwrw da Wrecsam am fod y goets fawr bob amser yn rhedeg yn hwyr rhwng Caer ac Amwythig. Arhosai'r goets yn Wrecsam am doriad, a hoffai'r teithwyr y cwrw lleol gymaint fel eu bod yn gyndyn i adael ar amser.

Pan ymwelodd George Borrow â Wrecsam tra oedd ar ei daith drwy Gymru yn 1845, oedodd i sgwrsio â chriw o segurwyr ger Eglwys San Silyn. Gofynnodd iddynt a siaradent Gymraeg. Atebwyd ef yn Saesneg i'r perwyl mai'r unig Gymraeg a wyddent, ac y dymunent ei wybod oedd 'Cwrw Da'.

Ceir hanes teithiwr arall yn dweud am ei ymweliad â'r dref yn 1860,

'Yn ystod fy arhosiad ni wneuthum flasu gwydraid cyffredin! Ond yr un a ragorodd ar y lleill i gyd oedd y ddiod a fragwyd gan y Meistri T. Rowlands o Fragdy'r Nag's Head. Cleciasom ein gwefusau mewn perlewyg. Fe wnaeth dau wydriad arall wneud i ni deimlo'n dra gwladgarol ac mewn hwyliau da gyda phawb, a chymeraf falchder mewn clodfori Cwrw Wrecsam.'

Ar y pryd roedd 19 o fragdai yn Wrecsam. Yn eu llyfryn *Cwrw Da*, sy'n olrhain hanes tafarndai a chwrw Wrecsam mae Derek a Beryl Jones yn rhestru dwsin ohonynt. Gymaint oedd dibyniaeth y dref ar fragu fel na feiddiai unrhyw bregethwr daranu yn erbyn y ddiod feddwol. Fe fu un, Walter Craddock yn ddigon ffôl i wneud ac fe'i taflwyd allan o'r dref.

Hen fragdy'r Albion, Wrecsam

Eithriad arall oedd y Parchedig David Howell, a gyflwynodd dystiolaeth i Bwyllgor Dethol Tŷ'r Arglwyddi ar gau Tafarndai ar y Sul yn 1880. Haeriodd fod Wrecsam yn enwocach na'r un dref arall am hoffter ei thrigolion o'r ddiod gadarn. Haerodd sylwebydd arall fod cwrw'r dre yn gyfuniad o dudalennau llyfrau canu wedi eu stwnsio a menig bocsio gan fod cwrw'r dre yn gwneud i rywun naill ai ganu neu ymladd. Ac yn ôl ystadegau swyddogol, Wrecsam oedd tref fwyaf meddw Cymru. Yn 1849, ar gyfer poblogaeth o 7,000 ceid 60 tafarn, pum siop gwrw, pedair siop gwerthu gwirodydd ac ugain o siopau trwyddedig.

Hyd yn oed mor hwyr â 1900, yr un oedd y stori. Canfu ymchwiliad i arferion yfed fod, ar gyfartaledd ym Mhrydain, bedair tafarn ar hugain ar gyfer pob can mil o boblogaeth. Yn Wrecsam ceid chwe thafarn a deugain ar gyfer pob deng mil.

Ond natur y dŵr oedd cyfrinach apêl cwrw Wrecsam. Ystyrid Ffynnon Brynffynnon ym mhen isaf y dref yn ffynnon iachusol yn llawn mwynau llesol, ac o gwmpas y ffynnon hon y tyfodd y diwydiant. Mantais arall oedd bod y rhan honno o'r dref mewn ardal lle nad oedd treth yn ddyledus ar frag.

Sefydlwyd y bragdy cyntaf o unrhyw bwys yn y dref yn 1799 gan Edward Thomas mewn hen danerdy. Trodd yn ddiweddarach i Fragdy'r Albion. Yn Stryd y Bont dechreuodd Bragdy'r Cambrian gynhyrchu cwrw yn 1844 gyda William Sissons yn ddiweddarach yn olynu Joseph Clark. Fe aeth Sissons mor bell â chyhuddo Llundain a Birmingham o lygadu dŵr Cymru nid er mwyn ei yfed ond er mwyn ei ddefnyddio i gynhyrchu cwrw cystal â chwrw Wrecsam. Dim rhyfedd i Sissons ddefnyddio plu Tywysog Cymru fel arwyddlun. Un arall oedd Bragdy'r Undeb, a sefydlwyd yn 1840. Yna cafwyd Bragdy Burton, a brynwyd yn 1875 am £541 gan Julius Chadwick. Datblygodd hwnnw gwrw a ddisgrifiwyd fel 'stowt Cymreig pur', a ystyrid yn ddiod genedlaethol. Gwerthid cwrw Bragdy'r Sun and Eagle o dan y slogan 'Cwrw Da Am Byth' gyda llun o fenyw mewn gwisg Gymreig yn sefyll rhwng dwy gasgen gwrw.

Bragdai teuluol cymharol fach oedd y rhain, wedi eu codi mewn mannau poblog lle nad oedd modd ehangu. A busnes atodol i fusnesau mwy oedd y mwyafrif ohonynt. Ond ceid tri chawr, Bragdai Soames a Bragdy Werddon, neu Island Green, a oedd i gyfuno i ffurfio Bragdy Border, a chwmni Peter Walker, cawr ym myd bragu.

Cychwynnodd y Walker gwreiddiol ei fusnes bragu yn Ayr yn yr Alban cyn symud i Lerpwl lle creodd ymerodraeth gyda chymorth ei feibion. Yn wir, goroesodd enw Walker ac erys o hyd ar gadwyn o dafarndai Carlsberg-Tetley yn Lerpwl. Carlsberg ar hyn o bryd yw prif noddwyr tîm pêl-droed Lerpwl.

Mae Warrington hefyd yn dal cysylltiad â'r teulu diolch i un o'r meibion, Andrew a fu'n gyfrifol am ddau fragdy yn y dref cyn mynd ati i sefydlu canghennau ym Mhenbedw, Caer, Crewe, Manceinion, Leeds, Newcastle, Belfast a Dulyn. Erbyn dechrau degawd 1890 roedd yn berchen ar fwy o dafarndai prydlesol nag unrhyw fragdy arall ym Mhrydain. Bu'n hael ei gefnogaeth i'r gymuned leol gan sefydlu oriel gelf yn Lerpwl yn ogystal â labordai peirianyddol. Pan fu farw yn 1893, gadawodd £3 miliwn o arian personol.

Gan ei fod gymaint dan gysgod llwyddiant ei frawd hŷn, symudodd Peter i Gymru lle bu'n brentis bragwr i Joseph Clark ym Mragdy'r Cambrian. Cychwynnodd mewn busnes drwy brynu bragdy bychan yr Helygen, neu'r Willow ac fe'i trodd yn fragdy mwyaf Wrecsam. Cododd ei safle cymdeithasol ac etholwyd ef yn Faer ddwywaith. Prynodd bulpud newydd i Eglwys y Plwyf a brysgyll i Gorfforaeth y dref ac ail-gododd y bont ger ei fragdy â'i arian ei hun. Ond pan etholwyd bragwr arall, Thomas Rowlands o Fragdy'r Nag's Head yn Faer, gan ei amddifadu ef o drydydd tymor yn y swydd, pwdodd. Er iddo barhau i fyw yn lleol yng Nghoed y Glyn ger Parc Erddig, symudodd ei fusnes i Burton on Trent, a chaeodd Bragdy'r Helygen yn fuan wedyn.

Cynlluniodd fragdy enfawr yn Burton, ond fel Moses gynt, ni chafodd gyrraedd gwlad yr addewid, a lifeiriai o faeth a medd. Bu farw'n fuan ar ôl gosod y garreg sylfaen ym mis Ebrill 1882. Roedd ei angladd y mwyaf a welwyd yn Wrecsam.

Ond nid dyna ddiwedd y stori. Yn 1890 daeth enw'r teulu'n ôl i'r dref wrth i'r bragwyr yn Warrington brynu Bragdy'r Undeb. Ond yn 1927, gwerthodd y cwmni ei 27 tafarn, gydag Island Green yn prynu eu hanner. Gadawodd hyn y maes yn rhydd i'r cwmni hwnnw a Bragdy'r Nag's Head.

Roedd gan y Nag's Head enw da eisoes, ac fe'i prynwyd yn 1870 gan Henry Aspinall, a ffurfiodd Gwmni Bragdai Wrecsam yn 1874. Enillodd ei gwrw'r fedal aur yn Arddangosfa Neuadd Albert yn Llundain yn 1875. Ond aeth y cwmni i'r wal gyda dyledion o £50,000. Prynwyd y bragdy gan Arthur Soames o Swydd Nottingham, a gwnaeth ei fab, Frederick yn rheolwr. O fewn degawd, ehangodd y busnes deirgwaith drosodd. Pan ymwelodd y teithiwr dygn Albert Barnard â Wrecsam yn 1892, bragdy Soames oedd yr unig un iddo weld yn dda i haeddu ymweliad. Bu'n uchel ei glod o'r busnes. Canmolodd yn arbennig natur Gymreig y cwrw, a wnâi, yn ôl Soames, 'gynorthwyo achos gwir ddirwest'. Sut fedrai cwrw gynorthwyo dirwest sy'n gwestiwn dyrys. Canmolodd hefyd gwrw a enwodd 'Guinea Wrecsam', a ddisgrifiodd fel 'cwrw i'r cartref a'r teulu'.

Fel Peter Walker o'i flaen, etholwyd Soames yn Faer yn 1921-22, pan ymwelodd y Frenhines Fictoria â'r dref. Yn wir, yn wahanol i Walker, fe'i etholwyd yn Faer deirgwaith. Lledodd tafarndai Soames i ben uchaf Ynys Môn ac enwyd y bragdy yn 'The Welsh Ale Brewery'. Erbyn diwedd ei oes, roedd Soames wedi creu busnes a oedd yn berchen ar dros gant o dafarndai.

Pan dorrodd y Rhyfel Byd Cyntaf, anfonwyd un o gerbydau bragdy Soames i'r ffrynt yn Ffrainc. Daliai i gario enw'r bragdy ar ei ystlysau. Trawyd y cerbyd gan fagnel, ond o ganlyniad cafodd y cwmni gyhoeddusrwydd anferth.

Bu farw Soames yn 1926, a daeth cyfnod o drai ar fragdai Wrecsam. Ond yn 1922 roedd wyth bragdy yn dal i gynhyrchu cwrw yno. A daliodd bragdy Soames ei dir gan droi'n gwmni cyfyngedig yn 1931, gydag aelod o'r teulu'n dal wrth y llyw. Ond ar ôl dau fis yn unig, fe'i llyncwyd, a chrëwyd Bragdai Border, enw addas gan fod y bragdy'n gwasanaethu'r ddwy ochr i'r ffin.

Bu Bragdy Werddon, a sefydlwyd yn 1865 ar fferm Caia gan William a John Jones a Bragdy Soames yn gystadleuwyr brwd, a dim ond chwarter milltir a wahanai'r ddau fragdy. Ac ar 27 Mehefin 1931 fe'u hunwyd, ynghyd â Dorsett Owen o Groesoswallt i greu Border. Cyn hir caewyd safle Island Green. Yn 1938 aeth Border yn gwmni cyhoeddus a mabwysiadwyd y Ddraig Goch fel arwyddlun. Yn ddamweiniol, diolch i awyrennau Hitler, creodd y cwmni gwrw wedi'i fygu. Gollyngwyd bom ar fynydd y Rhos a lledodd mwg trwchus dros y dref am wythnos.

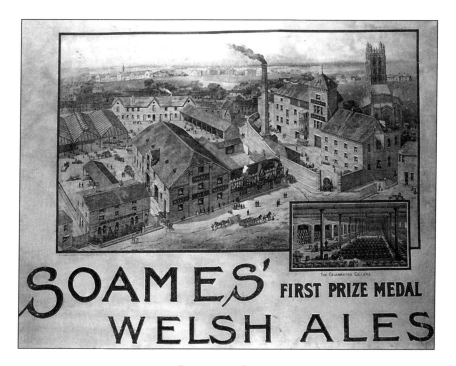

Poster cwrw Soames

Amharodd y mwg ar gynnwys a blas y cwrw ond fe ail-gymysgwyd y cwrw a gwerthwyd ef heb i neb fod fawr callach.

Erbyn 1960, er bod Border yn berchen ar dros ddau gant o dafarndai, roedd y dyfodol yn ogystal ag ysbryd y cwmni yn isel. Ac ymhen dwy flynedd prynodd Whitbread, a oedd eisoes wedi ymuno â Flowers, gyfanswm sylweddol o gyfranddaliadau. Roedd hi'n amlwg fod Whitbread â'i fryd ar lyncu'r cwmni. Ond doedd gan y cwmni ddim diddordeb yn y safle. Llusgo byw wnaeth Border ymlaen i'r 70au. Eto i gyd, llwyddodd i oroesi ei hanner-can mlwyddiant yn 1983. Ac roedd ganddo ased pwysig – y Cae Ras, stadiwm bêl-droed Wrecsam gyda thafarn y Turf yn rhan ohono.

Daeth y diwedd, ond nid drwy law Whitbread yn uniongyrchol, wedi'r cyfan. Roedd gan Whitbread nifer sylweddol o gyfranddaliadau yn y ddau gwmni, hynny'n golygu fod dyfodol Border yn ei ddwylo. Prynwyd y busnes gan Marstons o Burton gyda chydsyniad Whitbread. Yn 1986 llosgwyd bragdy Border i'r llawr. Lle methodd awyrlu Hitler, fe lwyddodd criw o fandaliaid.

Y CWRW MELYN IACH

Petai gwobr am y cwrw mwyaf llwyddiannus yn hanes Cymru yn rhyngwladol, yna Cwrw Lager Wrecsam fyddai'r enillydd. Ar ei anterth gwerthai'r cwmni ei ddiodydd ledled y byd. Cafwyd tystiolaeth iddo gael ei yfed ym Mhalas y Cadfridog Gordon yn Khartoum yn 1898. Seliwyd cytundeb rhwng Churchill a'r Arlywydd Roosevelt ar long yng nghanol môr Iwerydd adeg yr Ail Ryfel Byd gyda llwncdestun o Lager Wrecsam. A gwerthid y ddiod ar longau teithio mawr fel y *Mauritania* a'r *Queen Elizabeth*.

Ystyrir lager gan selogion cwrw da fel testun dirmyg. Haerir mai'r gwahaniaeth rhyngddo a chwrw go iawn yw iddo basio drwy'r arennau cyn ei roi mewn potel neu gasgen, yn hytrach nag i'r gwrthwyneb. Boed hynny fel y bo, mae gwerthiant lager yn ystod y deugain mlynedd diwethaf wedi hawlio hanner y farchnad fragu ym Mhrydain. Yn hwyr iawn y daeth lager i gael ei gydnabod yng ngwledydd Prydain. Yn 1913 roedd nawdeg y cant o yfwyr gweddill y byd yn yfed lager. Ond pan gydiodd yn nychymyg yfwyr Prydain, roedd Lager Wrecsam ar y blaen. Yn wir, fel Pen-clawdd a chocos a Chaerffili a chaws, roedd Wrecsam a lager yn bartneriaid naturiol.

Ond ym Manceinion y cychwynnodd y stori lle daeth criw o fewnfudwyr cyfoethog o'r Almaen a Tsiecoslofacia at ei gilydd gyda'r bwriad o ddisodli cwrw cynnes eu gwlad fabwysiedig â lager oer a chlir gwledydd eu geni. Gan fod gan Wrecsam eisoes enw da fel canolfan fragu, sefydlwyd Cwmni Cwrw Lager Wrecsam yno ar 6 Mai 1881. Ymhlith y criw roedd nifer o fferyllwyr, bancwr a masnachwyr tecstilau.

Clustnodwyd Ffynnon Penadur fel ffynhonnell i'r lager ond yn anffodus nid oedd ansawdd y dŵr yn addas ac aethpwyd i orllewin y dref lle'r oedd ffynnon fwy cymwys ar gyfer cynhyrchu lager o fath Pilsen, a gynhyrchid yn Tsiecoslofacia. Doedd cyflenwadau digonol o haidd ddim yn broblem. Tyfai erwau lawer ohono yng nghyffiniau Amwythig. Codwyd y bragdy nid nepell o'r gorsafoedd rheilffordd yn Wrecsam. Roedd y bragdy yn un chwyldroadol a gostiodd dros £20,000 i'w godi a £10,000 arall am yr offer bragu a gynhwysai beiriant rhewi, a allai gynhyrchu 5,000 o dunelli o rew y flwyddyn.

Adroddodd y *Wrexham Leader*: 'Tua 40 mlynedd yn ôl câi lager ei feithrin mewn un drefedigaeth yn unig. Ond ers hynny, mabwysiadodd yr Almaen gyfan, Awstria, Llychlyn, yr Iseldiroedd, Gwlad Belg, Ffrainc,

Un o bosteri'r lager a gynhyrchid yn 'Wrexham, England' (sic)

Rwsia a hyd yn oed Siapan fragu cwrw lager. Y rhwystr mwyaf o flaen Lloegr (sic) oedd yr anhawster mewn canfod rhew yn rhad. Goresgynnwyd yr anhawster bellach gan y peirannau rhew gwych a gynhyrchir heddiw.'

Yn anffodus bu'r papur ychydig yn rhy fyrbwyll. Cychwynnodd y bragu yn 1883 ond aeth pethau o chwith o'r dechrau. Mewn gwledydd lle ceid digonedd o rew naturiol, doedd dim problem. Ond yn Wrecsam doedd yr offer rhewi ddim yn ddigonol. Golygai hynny mai lager tywyll Bafaraidd ei natur oedd yr unig fath y gellid ei gynhyrchu yno.

Haerir gan lawer mai bragdy Lager Wrecsam oedd y cyntaf yng ngwledydd Prydain i gynhyrchu lager. Mae hyn yn gamarweiniol, fel y tystia Brian Glover yn ei gyfrol. Mae'n wir mai hwn oedd y bragdy lager cyntaf i'w sefydlu fel cwmni. Ond bragwyd y lager cyntaf ym Mhrydain gan fragdy yn Llundain, yr Austro-Bavarian and Crystal Ice Factory yn Tottenham, Llundain. Cychwynnodd hwnnw gynhyrchu lager Bafaraidd ar ddiwedd 1882.

Yn raddol dechreuodd y lager ennill ei blwyf. Fe'i gwerthwyd yn Arddangosfa Frenhinol y Jiwbili yn 1887 a hyd yn oed yn Eisteddfod Genedlaethol Wrecsam y flwyddyn wedyn. Mae'n amheus a wnaeth Tudno, enillydd y Gadair ac Elfed, enillydd y Goron – dau weinidog yr efengyl – ddathlu drwy yfed y lager. Testun pryddest fuddugol Elfed, gyda llaw, oedd 'Y Sul yng Nghymru'. Sul sych, siŵr o fod.

Ond yna aeth y cwmnïau yn Wrecsam ac yn Llundain i'r wal. Yn Wrecsam, diolch i gyfarfod siawns ar drên rhwng un o'r cyfarwyddwyr, Ivan Levenstein a Chyfarwyddwr Cwmni Cemegol Monsanto, Robert Graesser achubwyd y cwmni. Prynodd Graesser y mwyafrif o'r cyfranddaliadau gan etifeddu'r holl asedau a'r dyledion. Aeth ati ar unwaith i ymsefydlu cyfarpar rhewi mecanyddol a thorchau dŵr hallt gan lwyddo i iselhau'r tymheredd i'r graddau angenrheidiol i storio lager. Ystyr lager, gyda llaw, yw stôr. Dyma a arweiniodd at gynhyrchu'r lager o fath Pilsner yn ogystal â lager ysgafn arall a'r un tywyll gwreiddiol.

Ond cafwyd problem arall. Doedd yr yfwyr lleol ddim yn barod i newid eu patrwm yfed drwy adael eu cwrw traddodiadol am yr hylif newydd. Aeth y cwmni ati mewn ffordd gyfrwys i hybu ei Gwrw Lager Pilsner. Broliwyd nad oedd e'n gryf, ac mae yn ei wendid oedd ei gryfder. Hynny yw, roedd y lager yn gweithredu fel tonic yn hytrach na bod yn ddiod feddwol. Haeriodd Trwydded Purdeb Lager Wrecsam: 'Mae cwmni Cwrw Lager Wrecsam wedi bod yn llwyddiannus mewn cynhyrchu Cwrw Lager Pilsner ysgafn sydd nid yn unig yn adfywio, ond sydd hefyd yn gweithredu fel tonic mewn achosion o dreuliad gwael am mae bron iawn yn ddi-feddwol. Pan ddaw yn fwy adnabyddus a chaiff ei yfed, fe wna leihau meddwi a gwneud mwy dros yr achos dirwestol na holl ymdrechion y llwyrymwrthodwyr.'

Dyna'i dweud hi. Ond dyna'i chi sbin hefyd. Y gwir amdani oedd mai dim ond un a hanner y cant o wahaniaeth cryfder oedd rhwng y lager a chwrw cyffredin.

Beth bynnag, llwyddodd Graesser i wyrdroi'r sefyllfa a dechreuodd y cwmni, ar ei newydd wedd, gyflenwi lager i ddinasoedd mawr Lloegr. Pluen sylweddol yn het Graesser oedd ennill yr hawl i gyflenwi byddin Prydain â'i gynnyrch.

Ar 5 Hydref 1898 derbyniodd y cwmni lythyr oddi wrth ringyll staff o'i farics yn y Swdan yn cynnwys labeli oddi ar botel o Lager Wrecsam a ganfuwyd yng ngerddi Palas y Cadfridog Gordon yn Khartoum. A phan lwyddodd Kitchener i ryddhau Khartoum, canfuwyd stoc o Lager Wrecsam ym mhalas Gordon.

Ond dal yn gyndyn i brynu oedd trigolion Wrecsam. Yn wir, roedd hi'n haws prynu Lager Wrecsam y tu allan i'r ardal, yn arbennig yn Llundain lle'r oedd y ddiod ar gael mewn mannau ffasiynol fel clybiau'r Carlton a'r Constitutional. Trodd Graesser felly at y farchnad dramor. Yn 1904 aeth i America ar yr SS Baltic gan fynd â chyflenwad o'i lager gydag ef. Er gwaethaf y pellter a'r amser a gymerodd y daith, cadwodd y lager ei gyfansoddiad tra oedd cwmnïau eraill yn ei chael hi'n amhosibl cyflawni hynny. Agorodd hyn y drws i werthiant ar longau teithwyr a marchnad dramor. Erbyn troad y ganrif ddiwethaf dibynnai'r bragdy bron yn llwyr ar ei fasnach dramor. Allforid Lager Wrecsam i Ynysoedd Môr y De, Brasil a'r Caribî, Awstralia a Seland Newydd, Affrica ac yna'r Unol Daleithiau.

Pan fu farw Graesser yn 1911 fe'i olynwyd gan ei bum mab a'i ferch gydag un o'r meibion, Edgar yn rhedeg y bragdy. Yn raddol dechreuodd glowyr lleol droi at y lager tywyll ac adeg y Rhyfel Mawr, er gwaethaf ei gysylltiadau Almaenaidd, llwyddodd y cwmni i oresgyn y teimladau gwrth-Almaenaidd. Ond anfonwyd y prif fragwr a'r peiriannydd, dau Almaenwr, i wersyll cadw ar Ynys Manaw. Yn ogystal, ymunodd cwmnïau bragu lleol i esgymuno Lager Wrecsam o dafarndai'r dref. Eto i gyd, ehangodd y cwmni ei orwelion drwy gynyddu ei werthiant yn ninasoedd mawr Lloegr. Yna, yn 1922, torrwyd y monopoli gwrth-lager lleol wrth i'r cwmni brynu ei dafarn gyntaf, y Cross and Foxes gerllaw'r bragdy. Yma y gwerthwyd y lager cyntaf wedi ei oeri yn y dull go iawn ym Mhrydain.

Rhaid bod gan y cwmni synnwyr hysbysebu da. Darparwyd i wahanol wledydd yr hyn a ddymunent ei gael – ar y labeli os nad yn y cynnwys. Gwerthai'r 'Ace of Clubs' yn dda yn America. Ar gyfer Gweriniaeth Iwerddon, lle'r oedd teimladau drwg tuag at wledydd

Hen arwydd tafarn – mae'r rhain i'w gweld ar ambell adeilad o hyd

Hen dŵr brics coch adnabyddus Lager Wrecsam

Prydain, nodwyd fod y Club Lager yn cael ei botelu yn Iwerddon. Yna torrwyd drwodd fwyfwy i'r farchnad ar gyfer y llongau teithwyr gan sicrhau cytundeb â chwmni Cunard. Sicrhawyd hefyd gytundeb â'r Great Western Railway gan ddarparu lager ar gyfer y trenau, y gwestyau a'r llefydd bwyta.

Cynyddodd y cwmni ei fasnach yn lleol drwy brynu 23 o dafarndai Beirnes. Erbyn yr Ail Ryfel Byd gwerthai'r cwmni dros 85 y cant o'i gynnyrch i'r lluoedd arfog. Ar y llaw arall, dioddefodd y cwmni golledion rhyfel gyda llongau'n cludo lager yn cael eu suddo a'r ganolfan botelu yn Lerpwl yn cael ei bomio. Ar ddiwedd y Rhyfel dathlodd y cwmni'r achlysur gyda'i lager Victory.

Ond yna, yn 1949, prynwyd y cwmni gan Ind Coope ac Allsopp. Yna prynodd y cwmni hwnnw fragdy yn yr Alban a phenderfynu canoli ei fragu yno ar draul Wrecsam. Gollyngwyd yr enw Lager Wrecsam a'i ddisodli gan Lager Graham, er mawr ddicter pobl leol. Er hynny, ym mis Mehefin 1963 codwyd bragdy newydd, un o'r rhai mwyaf modern yn Ewrop yn y dref gan gyflogi 240 o weithwyr. Roedd gan y bragdy'r gallu i fragu 18,000 o gasgenni.

Daeth Ind Coope yn rhan o ymerodraeth Allied Beweries i greu un o'r grwpiau bragu mwyaf ym Mhrydain gan fuddsoddi £4 miliwn ychwanegol yn Wrecsam. Ond canolbwyntiwyd fwyfwy ar werthiant tramor. Yn 1978 fe adferwyd yr enw Lager Wrecsam. Dathlodd y cwmni

Tafarn yr Horse and Jockey – un o dafarnau enwocaf Lager Wrecsam

ei ganmlwyddiant yn 1982 gydag ail-lansiad y lager tywyll a Pilsner ac adferwyd hefyd, dros dro, label yr Ace of Clubs, a oedd wedi ei werthu. Ac yn 1990 enillwyd Tlws Pencampwriaeth y Diwydiant Bragu Rhyngwladol yn Burton on Trent. Yna ymunodd Allied â changen Brydeinig cwmni Carlsberg, sef Carlsberg-Tetley. Canolbwyntiodd hwnnw ar lager Scholls gan esgeuluso Lager Wrecsam. Parhaodd y cwmni i fragu'r cynnyrch yn Leeds, ond mewn enw yn unig. Fe'i esgeuluswyd heb roi digon o sylw i ansawdd a gofal iddo. Collodd 110 eu gwaith yn Wrecsam yn 2001. Er bod yno fragdy o'r safonau mwyaf modern, doedd dim lle yno i ehangu.

Ni wna Wrecsam ollwng ei gafael ar lager heb ymdrech gref. Erbyn hyn mae nifer o gefnogwyr y clwb pêl-droed lleol wedi ffurfio Ymddiriedolaeth mewn ymdrech ddwbl – achub y clwb ac adfer Lager Wrecsam. Bu trafod rhyngddynt â chwmni bragu lleol Pepe Coles o'r Jolly Brewergyda'r bwriad o fragu dau fath o lager. Math ar Stella Artois yw un, a enwir Benno, fel teyrnged i'r cyn-seren Gary Bennett. Lager tywyll yw'r llall gyda'r enw Tommy, fel teyrnged i gyn-seren arall, Tommy Bamford.

Bellach mae gan yr Aelod Seneddol dros Dde-orllewin Clwyd, Martyn Jones, a arferai weithio yn y bragdy fel meicrofiolegydd rhwng 1969 a 1987, gytundeb â Carlsberg-Tetley. Addawyd wrtho y câi brynu brand Lager Wrecsam am bunt pan ddeuai bragu Lager Wrecsam i ben yn llwyr. Ef sydd bellach yn berchen ar yr enw Cwmni Cwrw Lager Wrecsam ac mae'n disgwyl y dydd pan ddaw bragu yn ôl i'r dref ac y caiff lager ei fragu yno eto. Wedyn bydd yn barod i drosglwyddo'r enw a'r brand i ba gwmni bynnag fydd hwnnw, cyn belled ag y bo'n cynhyrchu'n lleol lager o safon unwaith eto.

Wrth fynd i'r wasg, datgelodd Mr Jones fod ganddo addewid pendant am gefnogaeth ariannol gan rywun sydd hefyd â chadwyn o fannau gwerthu. A phetai hynny'n methu, mae ganddo gynllun arall wrth gefn. Ar ben hynny mae cwmni bragu Thwaites wedi addo cefnogaeth o ran arbenigrwydd a hysbysebu, a Phwyllgor Datblygu Economaidd Wrecsam gyda diddordeb mewn canfod safle addas. Mae Martyn Jones yn hyderus y gwelir bragu lager yn Wrecsam unwaith eto. Mae'r freuddwyd yn fyw. Brysied dydd ei gwireddu.

AUR AFALAU I'R FELIN

Y ddiod agosaf sydd gennym at ddiod genedlaethol, mae'n debyg, yw seidr. Byddai trigolion siroedd Brycheiniog, Maesyfed a Mynwy yn sicr yn cytuno. Yn ei gyfrol *Life and Tradition in Rural Wales*, dywed J. Geraint Jenkins fod yfed seidr mor gyffredin ar ffermydd Sir Frycheiniog yn nhridegau'r ganrif ddiwethaf fel i un gweinidog Methodist Calfinaidd, a oedd yn mynychu oedfa bregethu yn Nhrefeca yn 1934, ddisgrifio'r sir fel un wedi meddwi'n llwyr ar seidr.

Nid yw'n rhyfeddod o gwbl i ffrwyth eplesedig yr afallen gael ei chasáu gymaint gan y garfan tân a brwmstan. Wedi'r cyfan, er nad yw Llyfr Genesis yn enwi rhywogaeth Pren y Da a'r Drwg yng Ngardd Eden, derbynnir gan lawer mai coeden falau oedd hi.

Gwyddom i afalau dyfu ar lannau aber afon Nîl mor gynnar â 130 CC, er nad yw'n glir a gâi seidr ei gynhyrchu yno. Synnwn i ddim na chynhyrchwyd seidr ar Enlli gan fod tystiolaeth i goed afalau hynafol iawn fodoli yno gan awgrymu i rai mai Ynys y Saint oedd yr Afallon wreiddiol. Erbyn 55 OC, canfu'r Rhufeiniaid a gyrhaeddodd arfordir dwyreiniol Prydain, fod pentrefwyr yn yfed diod wedi'i gwneud o afalau a dywedir fod Iwl Cesar ei hun yn hoffi seidr.

Erbyn cychwyn y nawfed ganrif roedd yfed seidr wedi ei hen sefydlu yn Ewrop gyda neb llai na Siarlymaen yn tystio i hynny. Ac wedi'r oruchafiaeth Normanaidd ym Mhrydain câi perllannau eu plannu'n bwrpasol ar gyfer tyfu falau seidr. Erbyn yr Oesoedd Canol roedd gwneud seidr yn ddiwydiant pwysig gyda'r mynachlogydd, yn arbennig yn Ewrop, yn gwerthu seidr cryf a sbeislyd i bererinion ac i drigolion lleol fel ei gilydd. Telid lwfans seidr arbennig i weithwyr tir ac erbyn yr ail ganrif ar bymtheg roedd gan bob fferm gwerth ei halen ei gwasg seidr ei hun.

Yna, yn dilyn newidiadau yn y traddodiad o ffermio gwelwyd trai yn yr arferiad ond yna, yn ystod y ganrif ddiwethaf, adferwyd y grefft unwaith eto gyda'r ddiod yn cael ei chynhyrchu mewn bragdai mawr. Ond ddim ond yn ddiweddar y gwelwyd twf mewn cynhyrchu seidr traddodiadol ar lefel diwydiant cartref.

Yn America aeth ymsefydlwyr o Brydain â hadau afalau draw gyda nhw ar gyfer tyfu coed falau seidr ac yn ystod y cyfnod gwladychol, daeth seidr mor boblogaidd fel y câi ffyniant tref ei fesur yn ôl y swm o seidr a gynhyrchai. Yn ystod y Gwaharddiad, er gwaetha'r gostyngiad

Dwy wasg seidr: uchod: Lodge Farm, Rhaglan (tua 1955); isod: Ffair Aberhonddu, 1957

mewn yfed alcohol, daeth bragu seidr yn ôl yn gryf fel diwydiant.

Roedd gan y Celtiaid flas neilltuol at seidr. Yn Llydaw yn arbennig, bu cynhyrchu seidr yn grefft ac yn ddiwydiant traddodiadol, ac mae'n parhau felly gyda *le cidre bouché* yn boblogaidd iawn. Yng Nghymru, fel y dywed J Geraint Jenkins câi seidr ei gynhyrchu ar lawer o ffermydd tan yn gymharol ddiweddar gyda pherllannau yn tyfu falau amrywiol fel Golden Pippin, Redstreak, Kingston Black, Old Foxwhelp, Perthyre a Trederick, yn arbennig yn siroedd y ffin. Roedd gan dafarnau'r ardaloedd hynny eu tai seidr eu hunain gyda'u cyfarpar malu a gwasgu. Ac yn yr ardaloedd hynny, seidr oedd diod fwyaf poblogaidd y gwladwyr.

Disgrifia J. Geraint Jenkins y dull o gynhyrchu seidr yn Sir Frycheiniog gyda chryn fanylder, 'Câi afalau eu cynaeafu ym misoedd Hydref a Thachwedd, ond ni chai'r ffrwyth ei dynnu; câi'r coed eu hysgwyd fel y byddai'r afalau aeddfed yn disgyn i'r llawr. Yno caent eu casglu'n dwmpathau yn y berllan i aeddfedu am wythnos neu ddwy.

'Wedyn câi'r afalau eu cludo i'r tŷ seidr, hwnnw fel arfer yn adeilad brics neu gerrig, ond weithiau mewn cwt wedi'i doi a chydag un ochr yn agored. Ynddo byddai melin faen a yrrid gan geffyl er mwyn gwasgu'r afalau i greu soeg neu 'must', ynghyd â gwasg ar gyfer gwasgu'r soeg i gael y sudd allan.'

Gellir gweld enghraifft o wasg seidr yn yr Amgueddfa Werin Cymru yn Sain Ffagan, un a symudwyd o Langinon a'i chadw'n ddiogel. Fe'i gwnaed o raean maen melin ac mae'n saith troedfedd mewn diamedr.

Cyn dyfodiad y felin seidr yn ystod yr ail ganrif ar bymtheg, câi falau eu mwydo mewn breuan mawr a phestl â choes hir. Cymerai ddiwrnod cyfan i dri neu bedwar o ddynion drin deg bwysel ar hugain. Defnyddid y dull hwn yn Sir Frycheiniog tan ganol y bedwaredd ganrif ar bymtheg.

Dull arall oedd defnyddio torrwr, sef math ar fangl gyda dannedd ar y rholiau yn cael ei droi gan geffyl y wreiddiol ac yna gan beiriant. Byddai gwneuthurwyr seidr teithiol yn defnyddio'r dull hwn tan yn ddiweddar yn y New Inn yn Nhalgarth lle gwnaed seidr.

Pa ddull bynnag a ddefnyddid, câi'r soeg ei drosglwyddo gan rofiau pren i fwcedi pren ac yna i'r wasg, peiriant pren anferth gyda slab anferth o garreg ar ei waelod. Yn y math mwyaf cyffredin câi hesian neu seisal – ac yn Sir Frycheiniog rawn ceffyl – ei osod ar draws gwaelod y ffrâm bren uwchlaw'r cafn. Taenid haen drwchus o'r soeg dros y mat, a gâi ei blygu wedyn dros y soeg. Câi hyn ei ail-adrodd nes byddai'r haenau o fatiau a soeg yn llenwi'r ffrâm. Câi'r ffrâm wedyn ei racio i lawr i ben yr haenau gan wthio allan y sudd i'r cafn.

Gellid eplesu'r sudd ffres ar unwaith, ond fel arfer câi ei storio i'w droi'n seidr yn y dyfodol. Gan fod burum yn rhan hanfodol o groen falau, felly mae'r eplesu'n digwydd yn naturiol. Ceir dull arall o eplesu drwy ddefnyddio bacteria asid lactaidd, sy'n rhan naturiol o sudd falau. Fel arfer câi'r sudd eplesedig ei adael i aeddfedu am bump neu chwe mis.

Câi casgenni llawn seidr, a oedd yn disgwyl aeddfedu eu selio â chymysgedd o glai, dom da, mân us a lludw. Weithiau teflid darnau o gig i'r bareli er mwy ychwanegu blas. Byddai angen rhwng saith a deg can pwys o falau i gynhyrchu 52 galwyn, neu hocsed o seidr. Câi'r soeg oedd yn weddill ei fwydo i'r moch.

Mae J. Geraint Jenkins yn nodi fod crefft a chelfyddyd bragu seidr wedi diflannu bron yn llwyr o'r ardaloedd traddodiadol. Priodola hyn i'r 'pregethu di-baid o ddirwest gan weinidogion anghydffurfiol, difodiant y gweithlu fferm a diflaniad y ceffylau gwedd a arferent yrru'r melinau'. Yn ddiweddar, beth bynnag, gwelwyd adfywiad yng Nghymru gyda Chymdeithas Perai Seidr Cymru yn rhestru dau ddwsin o gynhyrchwyr. Yng Nghanolbarth Cymru mae Seidr a Pherai Ralph wedi ei leoli ym Maesyfed. Mae Ralph, a ysbrydolwyd gan atgofion am ei dad, wedi bod yn cynhyrchu ers 1976 ac ar un adeg bu'n rheolwr fferm i Bertram Bulmer o'r cwmni enwog o'r un enw. Ystyriwyd y seidr a gynhyrchwyd yn 1982 gan Bulmers eu hunain fel y seidr gorau a gynhyrchwyd y flwyddyn honno.

Gwneir Seidr Piston Broke yn Llanfair ym Muallt gan D. Wynn Brown allan o falau wedi eu dethol â llaw allan o fathau o falau a dyfir mewn perllannau hynafol organig. Cânt eu gwasgu mewn hen wasg Ffrengig sy'n cael ei throi gan dractor Ffyrgi Bach. Caiff y seidr wedyn aeddfedu mewn casgiau derw a fu gynt yn dal rým. Ni cheir ynddo unrhyw ychwanegion na chadwolion.

Sefydlwyd cwmni Seidir O Sir Welsh ym Metws Diserth yn 2001 gan Trevor Powell, gyda'r ddau can galwyn cyntaf yn cael ei gysegru yn ôl i'r ddaear. Defnyddir falau Kingston Black, Vilberie, Strawberry Norman, Michelin, Yarlington Mill ac ychydig Jersey Harry Master o berllan embryonig y cwmni ei hun. Roedd y cynnyrch yn 2001-02 yn bum can galwyn. Eraill yn cynhyrchu yn y Canolbarth yw Edw – Mervyn Davies o Aberedw ger Llanelwedd, a Montgomery Cidermakers o'r Garthmyl.

Yng ngorllewin Cymru mae cwmni Tojola nid yn unig yn cynhyrchu seidr a pherai yn ardal Dihewyd ger Llanbed ond y mae Kevin and Nikki Crewes-Sweet hefyd wedi plannu perllan gan erw o goed falau a gellyg o fathau Cymreig yn unig. Maent yn cynnig cyrsiau preswyl ar weithgareddau cefn gwlad yn cynnwys bragu seidr. Mae eu cynnyrch yn cynnwys Drunk Dewi, sef seidr casgen dderw, Guinivere, sy'n euraid tywyll a melys, Gallahad, sy'n felys a chanddo flas derw, Igrayne, euraid cymylog a melys, Lancelot, sydd â blas ffrwyth canolig, Merlin's Mist, euraid dwfn, cymylog a sych, Pendragon, euraid a chlir, a Queen Mab, blas dwfn a sych. Mae'r cryfder yn amrywio o 5.8 i 7.5.

Un arall sy'n cynhyrchu seidr yn y gorllewin yw Gethin ap Dafydd, sy'n rhedeg Sudd Cwmpo Drosto yn Hwlffordd. Cychwynnodd gyda falau gwyllt o'r cloddiau bedair blynedd yn ôl. Erbyn hyn mae'n cynhyrchu tri chan galwyn ac mae'n gwerthu ei gynnyrch drwy asiant yn Nhrefynwy gan gyflenwi'n lleol dafarn Boncath ac un arall yn Noc Penfro. Mae'n prynu ei falau o Sir Fynwy ond ei obaith yw buddsoddi digon i fedru fforddio'i dir ei hun ar gyfer perllan.

Yn Llandudoch mae Richard Cooper yn ail-gydio yn un o grefftau'r mynachod gynt drwy gynhyrchu seidr yn yr Abbey Apple Co-operative.

Rhestrir pum gwneuthurwr ym Morgannwg. Un o'r rhain yw Gwynt y Ddraig o Lanilltyd Faerdre. Dyma gwmni sydd wedi llwyddo i dorri drwodd i werthu ei gynnyrch drwy Wetherspoons a Brains. Cynhyrchodd Andy Gronow a Bill George yn gyntaf adeg Hydref 2001 ac erbyn hyn maent yn cynhyrchu deg seidr a dau berai gwahanol. Yn ystod 2003 – 04, cynhyrchwyd 1,400 o alwyni. Y cynnyrch yw Orchard Gold, Fiery Fox, Major Brown, Gold Medal – Medium, enillydd Medal Aur CAMRA yn 2004, Black Dragon, a wneir o Kingston Black, Haymaker – Medium, sy'n chwerw-felys a miniog, Barking Mad, cryf canolig sych, Stoke Red, sych wedi'i eplesu mewn derw, Drew's Brew – Medium Sweet a Bill's Bootleg. Y perai yw Two Trees and Starlight.

Eleni yw blwyddyn fawr Seidr Dai, a gynhyrchir gan Dai a Fiona Matthews yng Nghyncoed, Caerdydd. Enillodd perai o'i wneuthuriad Fedal Aur CAMRA. Cychwynnodd y cwmni gynhyrchu yn 2002 a gwneir y cynnyrch i gyd o ffrwythau Cymreig wedi eu casglu â llaw. Lle mae'n bosibl, defnyddir rhywogaethau sydd mewn perygl. Dai wnaeth sefydlu'r Gymdeithas Seidr Cymraeg yn 2001. Darperir seidr drafft ac mae'n cynnwys Thorn, sef perai, Berllanderi Blend 2003 o'r berllan o'r un enw, Gwehelog, Panker's Pride, sy'n gymysgedd o berai, Crwys Fach, cynnyrch gellyg lleol, Major Tom a Major Tom II, Dai's Dry, a Blakeny Red, Rock and Burgundy, perai i gyd. Roedd cynnyrch 2003-04 yn 750 galwyn.

Gwneir Seidr Alarch gan Dave Jones yn Llantrisant. Cychwynnodd gynhyrchu gan ddefnyddio falau a gasglwyd â llaw yn 2004. Detholir y falau â llaw hefyd yn ogystal â'u golchi a'u gwasgu â llaw. Roedd y cynnyrch blynyddol yn 2005-06 yn 445 litr ac mae'r diodydd yn cynnwys Black Swan, Cygnet '05, Swan-derful a McPhee 9.5, sydd ar gyfer defnydd personol y gwneuthurwr. Cynhyrchir dau berai hefyd.

Eraill sy'n cynhyrchu ym Morgannwg yw Bragdy Brodyr, menter gan Richard Williams yng Nglyn Nedd, a Mill Cider yng Nghanolfan

Uchod: Perllan seidr yn ei blodau, Y Fenni
Ar y dde: Malu seidr â melin law
Isod: Gwasgu seidr â pheiriant stêm teithiol
ym Maesyfed tua 1905

Treftadaeth Bro Gŵyr.

Ceir y nifer mwyaf o gynhyrchwyr, o bell ffordd, yng Ngwent lle rhestrir tua dwsin o gynhyrchwyr. Gwneir Seidr Mynediad Ysbyty gan Jon Hallam yn Nhrefynwy. Cychwynnodd yn 1982 gyda'i Seidr Hen Ffordd Gymreig o Fyw, a Tom Putt. Mae'n ymfalchïo yn y ffaith i'w hen dad-cu wneud seidr ger Llanllieni dros drigain mlynedd yn ôl. Yn wir, cred mae un o'i hynafiaid wnaeth ddyfeisio'r term *to scrump*. Roedd cynnyrch 2001-02 yn ddau can galwyn ac ymhlith ei seidrau mae Ellis' Bitter/Red Vallis, Ellis' Blend, ei brif seidr masnachol a Deity Grade, sy'n gynnyrch ffrwythau fforestydd Mynwy a dŵr o ffynhonnau sanctaidd lleol.

Gwneir Seidr Springfield gan Alan and Jo Wordsworth yn Llangofan, rhwng Rhaglan a Threfynwy. Plannwyd y berllan llwyni o drigain erw a deunaw cant o goed ar Fferm Springfield yn 1998. Bu cynhaeaf cynta'r cwmni yn 2003 yn llwyddiant enfawr. Mae cynnyrch y cwmni'n cynnwys Farmhouse, sy'n chwerw-felys, Old Bar, cryf â blas ffrwythau, Faraway, a Sledgehammer, sydd â chryfder o 8.4.

Cynhyrchir Seidr Troggi yng Nghoed yr Iarll gan Dr Mike Penney. Cychwynnodd yn 1984 gan ddefnyddio cyfarpar malu a gwasgu o Goleg Caer Wysg. Yna, yn 1995, gosododd ei offer ei hun. Mae'n arbenigo ar seidr a pherai sych o sudd cyflawn ac mae'r cynnyrch yn cynnwys Seidr Troggi a Pherai Seidr Troggi. Yn 2001-02 roedd y cynnyrch yn 3,500 litr.

Cynhyrchwyr eraill a restrir yng Ngwent yw Blaengawney o Drecelyn, Seidr CJ, Penrhos, Rhaglan, Clytha Perry yn y Clytha Arms ger y Fenni, Cobourn Cider, Grysmwnt, Three Saints yn Llantrisant, Caer Wysg, Usk Cider, Perllan y Wernddu, Pen y Clawdd a W. M. Watkin a'i Feibion, Grysmwnt.

Rhestrir un cynhyrchydd yn y gogledd, Rosie's Triple D. Ond cafodd Steve Hughes o Landegla'r pleser o dderbyn Gwobr CAMRA 2006 am y seidr potel gorau ym Mhrydain.

Ers sefydlu Cymdeithas Perai Seidr Cymru yn 2001 enillodd yr aelodau nifer o wobrau ar sail ryngwladol gan CAMRA. Yn 2004 enillodd Gwynt y Ddraig Wobr Aur y Perai; y flwyddyn wedyn enillodd Wobr Aur y Seidr; yn 2005 enillodd Seidr Ralph, y Big Apple Wobr Aur y Seidir ac enillodd Seidr Ralph y cwmni Wobr Aur y Perai. Y llynedd hefyd enillodd Seidr Troggi Wobr Seidr yr ŵyl yn Gosport. Ac eleni, fel y nodwyd, enillodd dau gynhyrchwr o Gymru Wobrau Aur CAMRA drwy Brydain. I'r rheiny sydd â diddordeb mewn cynhyrchu seidr neu berai, mae'n werth nodi fod Meithrinfa Blanhigion Dolau Hirion, Llandeilo yn arbenigo ar gyflenwi coed ffrwythau prin ac anarferol.

AUR BRYCHEINIOG

Priodolir y fraint o gynhyrchu wisgi cyntaf Cymru i fynachod Ynys Enlli tua 356 OC. Dywed chwedloniaeth fod Rheuallt Hir wedi dysgu cyfrinachau distyllu oddi wrth fasnachwyr o wlad Groeg a gyrhaeddodd ogledd Cymru ar eu mordeithiau. Aeth hwnnw ati wedyn, yn ôl yr hanes, i ddistyllu'r cwrw melys neu'r bragod a gynhyrchid gan fynachod Enlli, gan ychwanegu mêl a pherlysiau ato i'w felysu.

Rhaid disgwyl wedyn tan 1705 am hanes y distyllty Cymreig honedig nesaf, hwnnw a sefydlwyd yn Dale, Sir Benfro gan deulu Williams. Cyrhaeddodd un aelod o'r teulu, sef Evan Williams Virginia gan symud i Kentucky yn 1780. Tyfai rawn, ond oherwydd yr anhawster i gludo'i gnydau i'r farchnad penderfynodd droi at gynhyrchu wisgi a bwrbon. Adeiladodd ddistyllty ar waelod yr hyn yw nawr yn Fifth Street yn Lousiville. Roedd yn un o Ymddiriedolwyr Louisville, a gwylltiai'r patriarchiaid syber drwy fynnu mynd â photelaid o'i wisgi gydag ef i bob cyfarfod. Ac er y câi ei feirniadu am wneud hynny, ni wnâi fyth adael cyfarfod â'r botel yn llawn. Fe'i penodwyd yn Feistr Harbwr Louisville a bu'n gyfrifol am godi carchar y ddinas. Ystyrir ef fel distyllwr cyntaf Kentucky. Mae ei gwmni yn dal i ddistyllu yn yr Heaven Hill Distilleries ar lan afon Ohio.

Honnir mai Cymro hefyd, o ardal Aberteifi, oedd Jack Daniel. Ond yn wahanol i'r gred boblogaidd does dim unrhyw dystiolaeth i hynny. Yn ei gofiant i Jack Daniel, 'The Jack Daniel Legacy', dywed Ben A. Green fod gŵr o'r enw Joseph Daniel wedi symud o Loegr i'r Alban lle priododd, cyn iddo ef a'i wraig ymfudo i America. Roedd Jasper 'Jack' Daniel yn un o wyrion hwn, ac aeth ymlaen i sefydlu distyllty wisgi – nid bwrbon, gyda llaw – yn Lynchburg, Tennessee ar ôl dysgu ei grefft wrth draed Dan Call, gweinidog yr efengyl Lwtheraidd.

Y distyllty cyntaf yng Nghymru o unrhyw sicrwydd – a'r unig un tan yn ddiweddar – oedd yr un a agorwyd ger y Bala yn 1889 pan gofrestrwyd y Cwmni Wisgi Cymreig gyda chyfalaf o £100,000. Y dyn y tu ôl i'r fenter oedd R. J. Lloyd Price, *entrepreneur*, heliwr ac ecsentrig a sgweier stad y Rhiwlas. Sefydlodd Lloyd Price stad ddiwydiannol ar lan afon Tryweryn yn y Fron-goch yn cynnwys cwmni gwneud brwshys, gwaith brics, pyllau clai, mwynau o bob math, menter gwerthu dŵr rhinweddol, gwaith calch ynghyd â chwareli. Ceir tai yn y Fron-goch heddiw a godwyd yn llwyr gan ddefnyddiau'r stad. Trodd Lloyd Price ei stad hefyd yn ffair helwriaeth anferth.

Ond y fenter fwyf uchelgeisiol oedd y gwaith wisgi, syniad yr esgorwyd arno wrth i'r sgweier a'i gyfaill mawr, Robert Willis wylio treialon cŵn defaid yn Hyde Park yn Llundain yn 1887. Lloyd Price fu'n gyfrifol am gynnal y treialon cŵn defaid cyntaf erioed, a hynny yn ardal y Bala yn 1873. Yn Hyde Park dechreuodd y ddau gyfaill drafod y ffaith nad oedd Cymru, yn wahanol i'r Albanwyr a'r Gwyddelod, yn cynhyrchu wisgi. Cydiodd y syniad, ac ymhen dwy flynedd roedd wisgi Cymreig yn llifo yn y Fron-goch.

Yn ei bamffled 'The Truth' ceir yr hysbyseb fwyaf blodeuog a dyfeisgar a welwyd ar gyfer hybu unrhyw gynnyrch erioed:

' ... The most wonderful whisky that ever drove the skeleton from the feast, or painted landscapes in the brain of man. It is the mingled souls of peat and barley, washed white within the rivers of the Tryweryn. In it you will find the sunshine and shadow that chased each other over the billowy fields, the breath of June, the carol of the lark, the dew of night, the wealth of summer, the autumn's rich content, all golden and imprisoned light. Drink it and you will hear the voice of men and maidens singing the 'Harvest Home' mingled with the laughter of children. Drink it, and you will feel within your blood the startled dawns, the dreamy tawny husks of perfect days. Drink it, and within your soul will burn the bardic fire of the Cymri, and their law-abiding earnestness. For many years this liquid joy has been within staves of oak, longing to touch the lips of man, nor will its prototype from the Sherry Casks distain the more dulcet labial entanglement with any New or Old Woman.'

Yn y pamffled hefyd cynhwysodd rigwm gyda llun o 'John Jones' yn dawnsio ac yn cyflwyno potel o wisgi i 'Jenny':
>'Why, with capers so many
>John Jones, gay you are?'
>'Welsh whisky, dear Jenny
>From Bala 'bhur dda'.'

Ym mis Awst 1889, ymwelodd y Frenhines Fictoria â'r Bala gan letya yn Neuadd Pale. Cyflwynodd Lloyd Price gasgen o wisgi iddi gan roi iddo'i hun yr esgus i ychwanegu at froliant ei gynnyrch, 'Drwy Benodiad Brenhinol'. Yn 1894 cyflwynodd gasgen arall o wisgi i Dywysog Cymru, drwy Gyfrinfa'r Bala o'r Seiri Rhyddion, lle'r oedd y sgweier, ynghyd â Michael D. Jones, yn aelod.

Lluniau o waith wisgi'r Fron-
goch, gan gynnwys y cyfnod y
bu'n dal carcharorion rhyfel, y
dymchwel a'r safle fel ag y mae
heddiw.

Distyllty Penderyn heddiw

Bwriad Lloyd Price oedd cynhyrchu ystod o wisgi amrywiol. Roedd eisoes wedi creu enwau ar eu cyfer yn cynnwys Black Prince, Men of Harlech, Maid of Llangollen, Saint David, Taffy, Welsh Rare Bit, Bells of Aberdovey a The Leek. Yn anffodus, ni pharhaodd y fenter wisgi yn hwy na deng mlynedd. Priodolwyd ei fethiant i'r mudiad dirwest a dywedir mai Diwygiad 1904-05 fu'n hoelen olaf yn ei arch. Ond na, yn un peth yn Llundain a threfi mawr Lloegr y câi'r wisgi ei hybu, nid yng Nghymru. Ac yn ail, roedd y fenter wedi mynd i'r wal ar ddechrau 1899, sef pum mlynedd cyn y Diwygiad.

Y rheswm dros fethiant y wisgi, mae'n ymddangos, oedd ei ddiffyg ansawdd. Yn *Country Quest* yn 1966 dywed H.A. Lloyd fod y wisgi, mewn casgen, yn burion ond mater arall oedd ei yfed o'r botel. Yno, byddai'n parhau yn amrwd a garw ac ymddangosai fel petai'n gwrth-aeddfedi. Fe'i disgrifiwyd yng nghylchgrawn *Harper* fel petai'n bwyta'i ben ei hun.

Diddymwyd y cwmni'n derfynol ar 3 Ionawr 1899. Mae o leiaf ddwsin o boteli yn parhau yma ac acw a'r tro olaf i botel lawn ddod ar y farchnad, gwerthodd am £1,350 ym mis Medi 2001 mewn arwerthiant yng Nghasnewydd.

Yn ystod saithdegau'r ganrif ddiwethaf gwnaed ymgais i adfer wisgi Cymreig gyda wisgi Sŵn y Môr, menter gan Dafydd Gittins. Mewn seler yn Aberhonddu yn 1974 aeth ef a'i gyfaill, Mal Morgan ati i gymysgu wisgi a'i ddisgrifio fel wisgi a gymysgwyd yng Nghymru. Yna symudodd y fenter i'r tu ôl i'r Camden Arms yn y dref lle bu Gittins a'i briod, Gillian yn masnachu o dan yr enw Bragdy'r Cambrian. Credir mai wisgi o'r Alban oedd yr hylif crai gyda pherlysiau wedi eu hychwanegu. Gwerthodd yn dda, yn arbennig y wisgi a geid mewn poteli ar ffurf pêl rygbi. Ychwanegwyd wisgi arall at Sŵn y Môr, sef Tywysog Cymru.

Yn 1999 ffurfiwyd y Cwmni Wisgi Cymreig Cyf ganddynt a symudwyd i Stad Ffrwdgrech. Ychwanegwyd cynnyrch newydd yn cynnwys Merlyn Cream Liqueur, Tafski Vodka a Glan Usk Gin. Yna, yn 1995, ar ôl dibynnu ar wisgi a fewnforid cyhoeddwyd y byddai'r cwmni'n cychwyn ar gynhyrchu wisgi wedi'i ddistyllu yng Nghymru mewn distyllty newydd gwerth £70,000. Bwriedid cynhyrchu tri sypyn o 3,000 litr deirgwaith yr wythnos, yn cyfateb i 500 potel, gyda hynny i gynyddu ymhen dwy flynedd. Arwyddwyd cytundebau ag archfarchnadoedd ac ymddangosai'r dyfodol yn addawol. Ond daeth distylltai Albanaidd â phwysau ar y cwmni a gwnaed honiadau o dwyll. Felly, bu'n rhaid disgwyl am bum mlynedd arall am wisgi wedi ei ddistyllu ar dir Cymru am y tro cyntaf ers 1898.

Cychwynnodd Wisgi Brag Sengl Penderyn, yn briodol iawn, ar Ddydd

Gŵyl Dewi. Cychwynnodd yr hylif aur lifo allan i'r cyhoedd ar 1 Mawrth, 2004 pan ryddhawyd nifer cyfyngedig o boteli. Y flwyddyn ganlynol, agorodd Penderyn ganolfan ymwelwyr gan ychwanegu at ei gynnyrch Brecon Special Reserve Dry Gin, Brecon Premium Vodka a Merlyn, gwirodlyn hufennog.

Enwyd y cwmni ar ôl y pentref yng nghanol Bannau Brycheiniog sydd â chysylltiadau hanesyddol â Dic Penderyn, merthyr y dosbarth gweithiol a grogwyd yn 1831 ar gam yn dilyn ei ran yn Nherfysgoedd Merthyr Tudful. Cynhyrchir y diodydd mewn distyllty pwrpasol gan ddefnyddio'r technegau diweddaraf. Y tu ôl i ochr dechnegol y fenter mae'r Dr Faraday o Brifysgol Surrey, disgynnydd i ffisegwr enwog Michael Faraday. Arbenigwr arall y tu ôl i'r fenter yw'r Dr Jim Swann, sy'n disgrifio Wisgi Penderyn fel un sydd ag ansawdd 'llyfn ac unigryw, tyner a llawn blas ac sy'n beryglus o hawdd i'w yfed'.

Pan gynhyrchwyd y sypyn cyntaf, fe'i gadawyd i aeddfedu mewn casgenni pren a fu unwaith yn dal wisgi Evan Williams a Jack Daniel. Yna cafodd ei orffen mewn bareli Madeira gan greu'r hyn a ddisgrifir gan y cwmni fel 'brag sengl unigryw, euraid sy'n ysgafn ar y daflod ac yn llyfn ei flas'.

Mae cynnyrch Penderyn nid yn unig yn blasu'n dda, mae hefyd wedi'i becynnu'n chwaethus a deniadol. Mae'r cwmni eisoes wedi paratoi ar gyfer allforio, yn arbennig i America. Arwyddodd gytundeb dwy-flynedd gydag Undeb Rygbi Cymru ac mae cynlluniau ar waith i nodi dyfodiad y Cwpan Golff Ryder i'r Celtic Manor yng Ngwent yn 2010.

DYCHWELIAD Y CADNO

Er i deyrnas fragu Buckley ddod i ben wedi i Brains ei thraflyncu, mae'r enw teuluol yn parhau o fewn y diwydiant, diolch i ddisgynnydd sy'n cynrychioli'r chweched genhedlaeth. Mae hwnnw, Simon Buckley bellach yn bragu yn Llandeilo o dan enw cwmni Williams Evan Evans. Ac yno yn swyddfa'r bragdy mae baner olaf cwmni ei hynafiaid, a fu gynt yn cwhwfan uwchlaw'r safle yn Llanelli, safle sydd bellach wedi'i wastatáu, yn hongian uwchlaw ei ddesg.

Bod yn dirfesurydd siartredig fuasai tynged Simon wedi bod oni bai i'w gefnder, Kemiss Buckley, a oedd yn rhedeg y busnes fragu yn Llanelli ei wahodd yn 1976 i weithio yn y cwmni. Ag yntau wedi sicrhau lle ym Mhrifysgol Reading, dewisodd ddysgu bragu, gan gychwyn ar lawr y siop fel prentis o fragwr. Cododd oddi yno i arbenigo ar holl rychwant y grefft – potelu, casgennu a bragu a phob agwedd a oedd yn ymwneud â chynhyrchu. Yn ystod ei gyfnod o naw mlynedd yno, dywed iddo ddysgu gwerthfawrogi ansawdd gan fabwysiadu gweledigaeth brandio. Yn rheoli ei holl feddylfryd roedd treftadaeth cwmni Buckley, a âi yn ôl 220 o flynyddoedd, a'r teimlad o falchder o gael gweithio mewn man a oedd yn bentref, bron iawn, o fewn tref Llanelli.

'Cawn fy ngweld fel sicrwydd i'r dyfodol,' meddai. 'Roeddwn i'n bedair ar bymtheg oed, ac fe wnaeth y cam hwn gadarnhau fy nghredo fod bragu teuluol yng Nghymru yn rhywbeth gwerth ei gadw a'i werthfawrogi yn hytrach na rhywbeth y gellid ei ffeirio am arian. Yn anffodus gwelwyd fi gan rai fel rhywun bywiog a phenderfynol a chymharol ddeallus, ac o'r herwydd yn beryglus. Fe wnes i, hwyrach, ymuno tua phum mlynedd yn rhy gynnar. Fe wnaeth y gweithlu, er hynny, fy nerbyn yn gynnes. A nawr mae baner olaf Buckley yn hongian uwchlaw fy nesg er mwyn i mi fy atgoffa fy hun na chaiff busnes sydd ynghlwm â'r enw teuluol fyth eto mo'i aberthu ar allor cyfranddalwyr allanol.'

Yn 1986, wedi iddo ddeall na châi fod yn aelod o'r bwrdd nes byddai'n ddeugain oed, synhwyrodd fod arno angen mwy o her. Felly gadawodd er mwyn ymuno â banc masnachol yn Llundain.

Ddwy flynedd yn ddiweddarach, daeth cwmni Barlow-Clowes i mewn i'r brywes gan brynu Buckley. O fewn cwta chwe mis, trodd y cwmni o fod un un o gwmnïau mwyaf llewyrchus Cymru i fod bron iawn yn fethdalwr. Adfeddiannwyd y cyfranddaliadau a gosodwyd y cwmni ar y farchnad. Gyda chefnogaeth cwmni menter Americanaidd, fe wnaeth Simon a chriw o fuddsoddwyr brisio gwerth y cwmni tua 97 ceiniog y gyfran. Ond enillodd cyfoeth Guinness y dydd gyda chynnig anhygoel o £1.47 y gyfran. Prynwyd y cwmni gan Club Union Breweries, gyda chefnogaeth Harp Lager a oedd yn rhan o Guinness. Crëwyd cwmni Crown Buckley ac yna gwerthwyd y cwmni ymlaen i Brains yn 1997.

Yn 1989, prynodd Simon a'i griw gwmni Ushers yn ne-orllewin Lloegr am £68 million, y pryniant bragu mwyaf mewn hanes ar y pryd. Roedd y pecyn yn cynnwys pryniant 433 o dafarnau Courage a bragdy hanner-miliwn baril yn Trowbridge, cytundeb a gymerodd ddwy flynedd i'w gwblhau. Ond yn fuan sylweddolodd Simon na allai barhau i weithio mewn sefydliad menter gyfalafol. Collodd ei iechyd a sylweddolodd na allai fyth adfer y cwmni teuluol. Ac wrth iddo adfer ei iechyd, penderfynodd fynd ei ffordd ei hun drwy agor bragdy yn Llandeilo.

Roedd amseriad ei benderfyniad yn berffaith. Penderfynodd Llywodraeth Dorïaidd y dydd gyflwyno Mesur – yn llwyddiannus – a olygai y câi tafarnau hawl i werthu cwrw gwadd, gan ddadwneud y monopoli a fu'n clymu tafarnau wrth fragdai mawr penodol. Llwyddodd y mesur newydd i ryddhau tua 20,000 o dafarnau i werthu cwrw gwadd gan agor y drws i fragdai bach i gynhyrchu a gwerthu cwrw traddodiadol ar gyfer tafarnau a fu gynt y tu allan i'w cyrraedd.

'Yr hyn a sbardunodd cyfan oedd sylweddoli, wedi i mi gerdded i mewn i dafarn y White Horse yn Llandeilo a gweld nad oedd unrhyw gwrw Cymreig ar y pympiau ar y cownter. Holais y tafarnwr y rheswm pam, a'i ateb oedd mai dim ond un prif gwrw casgen traddodiadol oedd ar gael, a hwnnw oedd cwrw Brains SA. O'r digwyddiad hwn y tarddodd yr holl syniad am Fragdy Tomos Watkin.'

Sefydlwyd y bragdy a'i enwi ar ôl hen ffrind i'r teulu a oedd yn aelod o hen gwmni bragu yn Llanymddyfri o'r un enw. Roedd tafarn y Castell yn Llandeilo ar werth ar y pryd. Fe'i prynwyd gan Simon ac aeth ati i addasu adeiladau yn y cefn yn fragdy. Cyd-ddigwyddiad hapus oedd dyfodiad yr Eisteddfod Genedlaethol i'r dref yr un adeg, sef Awst 1966, haf cyntaf y bragdy. Yno y lansiodd y cwmni ei gwrw tymhorol cyntaf, Cwrw Cayo. Yn ystod wythnos y Brifwyl gwerthwyd 44,000 o beints.

'Fedra'i ddim hawlio'r clod am enwi'r cwrw,' medd Simon. 'Cyfaill agos, Geoffrey Roy Thomas, twrne a oedd wedi amddiffyn aelodau o Fyddin Rhyddid Cymru yn 1969 gafodd y syniad. Dros ginio un prynhawn, pan ofynnais iddo am syniadau, gwenodd a dweud fod yr ateb o dan fy nhrwyn. Beth am Gwrw Cayo? Derbyniais y syniad ar unwaith. Wedi'r cyfan, roedd gan Cayo a minnau yr un fam fedydd. Roedd yr enw'n berffaith. Mae'r gweddill, fel y dywedir, yn hanes.'

Simon Buckley yn ei fragdy newydd yn Llandeilo

Dywed Simon mai llwyddiant Cwrw Cayo fu'n gyfrifol am sefydlu ei enw fel bragwr gan brofi iddo hefyd, os oes gan rywun ddigon o wyneb i sefyll ar ei draed a herio'r Cymry i fwyta ac i yfed cynnyrch Cymreig, yna fe ddaw llwyddiant i'w ddilyn.

Rhwng 1996 a 1999, adeiladwyd y busnes ac ymhlith y cynlluniau roedd y bwriad i adeiladu bragdy newydd fflam yn Llandeilo. Methwyd â sicrhau safle addas felly, yn groes i natur Simon, fe'i codwyd yn Abertawe. Erbyn hyn roedd Tomos Watkin yn berchen ar gadwyn o dafarnau, yr enwocaf y Cayo yn Stryd yr Eglwys Gadeiriol yng Nghaerdydd. Tyfodd y lle yn chwedl dros nos. Ond er gwaetha'r holl lwyddiant, mae Simon yn barod i gydnabod fod yna ddiffyg dyfnder rheolaeth i fynd â'r maen i'r wal. Galwyd ar griw o fuddsoddwyr preifat i mewn a newidiodd holl *modus operandi* Tomos Watkin. Newidiodd o fod y cwmni teuluol i fod yn gwmni o bwys gyda chyfranddalwyr allanol.

Yna daeth y digwyddiad annisgwyl a drodd i fod yr ergyd farwol. Trawodd y Clwyf Traed a'r Genau gan gau allan ardaloedd cyfan o fewn dalgylch y bragdy. Collodd y cwmni rhwng wythdeg ac wythdeg pump y cant o'i farchnad. Ond gan fod y cyfarwyddwyr allanol yn byw yn ne ddwyrain Lloegr, doedd ganddynt ddim syniad am ddifrifoldeb y sefyllfa. Beiwyd Simon fwyfwy am drafferthion y cwmni ac erbyn diwedd 2001 roedd wedi cael llond bol. Effeithiwyd yn ddrwg ar ei iechyd, a thra bu i ffwrdd o'i waith manteisiodd rhai o'r cyfarwyddwyr ar y cyfle i gael gwared ohono. Llwyddodd, er hynny, i ennill achos yn eu herbyn yn yr Uchel Lys a dyfarnwyd iddo gostau o £55,000. Yn anffodus doedd dim arian ar ôl gan y cwmni, a oedd wedi ei hollti'n ddau rhwng y bragdy a'r tafarnau. Mae Simon yn amcangyfrif i'r cyfan gostio iddo £1.5 miliwn. Tyngodd lw na wnâi fyth eto osod ei hun mewn sefyllfa lle byddai'n aelod o gwmni â chyfranddalwyr allanol.

Yn 2002, prynodd Simon a phartner busnes dafarn y Llannerch yn Llandrindod. Ddeunaw mis yn ddiweddarach gwerthwyd y dafarn gan wneud elw sylweddol. Defnyddiodd yr arian i sefydlu bragdy newydd, a ganwyd Bragdy William Evan Evans, ar ôl enw aelod o'r teulu a fu unwaith yn bragu stowt yn Llanelli.

Heddiw mae Bragdy Evan Evans yn Llandeilo gyda'r mwyaf modern yng Nghymru sy'n cynhyrchu cwrw yn amrywio o'r chwerw gorau, sef BB o 3.8 i'r Cwrw, a enillodd Fedal Aur CAMRA ac sy'n 4.2. Mae'r bragdy'n cyflogi naw o weithwyr ac mae'n berchen – neu'n trafod ar gyfer prynu – unarddeg o dafarnau ledled Cymru. Wrth i'r gyfrol hon fynd i'r wasg roedd Simon yn paratoi i agor tafarn nad yw ond ychydig ddrysau o'r Cayo yng Nghaerdydd. Ei henw fydd Y Cadno, enw sy'n gyfystyr â Cayo Evans. Ac yn y ffenest bydd yr arwydd yn cyhoeddi

Enghreifftiau o ddawn cyhoeddusrwydd Simon Buckley

'Cofiwch Cayo – Mae'r Cadno Wedi Dychwelyd'.

Cred Simon fod brandio cadarn a phendant Tomos Watkin wedi bod yn uniongyrchol gyfrifol am i Brains yn 1995 benderfynu brandio'n Gymreig. 'O fod y bachgen drygionus yn y bloc, dechreuwyd sylweddoli fod Tomos Watkin yn gwmni a oedd yn barod i sefyll ar ei draed gan herio'r hen werthoedd,' meddai. 'Roedd Tomos Watkin, ac y mae Evan Evans yn feistri ar gyhoeddusrwydd. Ond mae'r hyn a ymddangosai'n wamalrwydd ar y dechrau wedi datblygu i fod yn ymgyrch ddifrifol sy'n annog pobl Cymru i fwyta'n Gymreig, i yfed yn Gymreig ac i fod yn Gymry.

Ym mis Chwefror 1999 credwyd mai gimig yn unig fu cynnig Simon i brynu cwmni Brains. Llwyddodd er a chefnogwyr i godi £80 miliwn a chred y byddai pump neu ddeng miliwn arall wedi troi'r fantol.

'Ein bwriad oedd ei brynu a'i wneud yn fwy hyblyg, i'w adfywio fel cwmni a'i droi yn frand cwrw deinamig Cymreig. Ac i raddau, chwech neu saith mlynedd yn ddiweddarach dyna'n union a wnaeth Brains. Credaf i ni fod yn help iddynt gymryd y cam hwnnw. Roedd ganddon ni gynlluniau ar gyfer codi bragdy newydd ar gyrion Caerffili. Ac yn hytrach na bod yn rhyw gimig gyhoeddusrwydd, roedden ni'n gwbl ddifrifol gyda chefnogaeth dau fanc yng Nghanada. Roedden ni'n barod i symud. Ac oddi allan i'n grŵp ni roedd dau Gymro amlwg yn barod i'n cefnogi. Hyd y dydd heddiw ni ŵyr Christopher Brain, Cadeirydd Brains pwy o blith ei deulu oedd yn trafod gyda ni. Wna'i ddim datgelu pwy, ond y gwir amdani yw i ni fod o fewn dim i ennill rheolaeth ar y cwmni. A ydw i'n teimlo'n edifar am i mi beidio â chael fy ffordd? Fe fyddai hynny, yn sicr, wedi fy ngwneud i'n ddyn cyfoethog iawn. Ond dyma fi yn 48 mlwydd oed ac yn ei chael hi'n anodd sylweddoli fy mod i'n feistr ar fy musnes fy hun ac yn rheoli fy nhynged fy hunan. Fi sydd biau Evan Evans. Ac mae gen i fwy o dafarnau nawr na fu gen i erioed yn Tomos Watkin.'

Mae gan Evan Evans y gallu i fragu hyd at chwe mil o fareli'r flwyddyn. Ar frig y bragdai meicro, gellid disgrifio'r cwmni, mae'n debyg fel bragdy rhanbarthol bychan. Eleni bydd y bragu i fyny at bedair mil o fareli'r flwyddyn. Cynllunnir canolfan groeso ar gyfer ymwelwyr ynghyd â lansiad ystod go iawn o gwrw tymhorol ynghyd â lager Cymreig na welwyd ei debyg yng Nghymru, yn ôl Simon, ers dauddegau'r ganrif ddiwethaf.

'Rwyf am gael fy nghofio pan wna'i ymddeol fel y gŵr a roddodd yr *ale* yn ôl yn *Wales*, fel dyn a fu'n rhedeg tafarnau da gan adfer balchder i fragu Cymreig. Hoffwn weld fy nhri phlentyn yn parhau etifeddiaeth Buckley gan ddwyn yn ôl y goron sy'n eiddo i ni, sef coron fragu Gorllewin Cymru. Yr hyn ydyn ni'n ei gynrychioli yw bragu cwrw gwych gan gynnig i gwsmeriaid werth am eu harian. Hynny, ac annog pobl ifanc i weithio yn y diwydiant. Hwyrach bod brand Buckley bellach yn eiddo i Brains, ond mae'r enw yn dal gyda ni o hyd. Rydym yn gyfystyr â'r bragwyr gorau yng Nghymru, ac wedi bod yn bragu mor hir â Guinness.'

Cwrw craidd Evan Evans' yw Cwrw, BB a Warrior. Mae'r cwrw tymhorol yn cynnwys Sais Slayer, Dewi Sant, Cwrw'r Pasg, Cwrw Haf (Summer Ale yn Lloegr), Harvest Home, Full Cry, Bishop's Revenge a Cwrw Santa. Mae Wetherspoons bellach, ynghyd â nifer o'r cadwyni tafarn mwyaf yn gwerthu cwrw Evan Evans. Mae tua thrideg y cant o'r cynnyrch bellach yn cael ei werthu y tu allan i Gymru.

Mae Simon yn cydnabod iddo oresgyn llawer o ddyddiau tywyll. Ond calonogwyd ef, ac yntau ar ei fan isaf, gan rywbeth a ddywedwyd wrtho gan Ficer Llangadog, Michael Cottam.

'Cofia hyn, Simon,' meddai, 'Fe wnaeth y Duw mawr osod dau lygad ym mlaen dy ben am reswm da – er mwyn i ti edrych ymlaen yn hytrach nag edrych yn ôl. Dos allan a gwna'r gwaith rwyt ti'n dda ynddo.'

Pennod 14

Y CWRW BACH

Edwinodd bragu masnachol yn raddol yng Nghymru hyd yn gymharol ddiweddar pan welwyd ymddangosiad dwsinau o fragdai bach, bragdai micro a bragdai cartref. Yn anffodus, tyfodd y bragdai mawr i fod mor bwerus fel i'r rhai llai brofi i fod yn fyrhoedlog, ac aeth llawer ohonynt i'r wal erbyn y 1990au. Erbyn heddiw amcangyfrifir fod tua phum cant o'r bragdai bychain hyn yn bodoli ledled gwledydd Prydain. Mae eu cynnyrch yn fach, ar gyfartaledd – ddim ond tua phump i chwe chan galwyn yr wythnos, sydd ond dau y cant o'r farchnad gwrw. Ond maent yn darparu mwy o ddewis nag a gafwyd erioed o'r blaen.

Cadarnheir gan Lyfr Cofnodion Guinness mai'r bragdy lleiaf yn y byd yw hwnnw a geir y tu allan i dafarn Ty'n Llidiart yng Nghapel Bangor ger Aberystwyth. Mae'n bodoli er gwaetha'r ffaith i'r dafarn ei hun orfod cau ar un adeg oherwydd costau rhy uchel a throsiant rhy isel. Yna cymerwyd at y lle gan bâr lleol, Mark a Margaret Phillips. Trowyd y llofft yn dŷ bwyta ac ym mis Mehefin 2002 agorodd y dafarn ei bragdy ei hun, sef

Tafarn Ty'n Llidiart a Bragdy Gwynant, Capel Bangor

Cwrw Bach – dau wladwr yn gwisgo 'capiau sir Frycheiniog' yn mwynhau glasied bach yn y 19eg ganrif.

Bragdy Gwynant. Nid yw ond pum troedfedd sgwâr a deng troedfedd o uchder.

Ond peidied neb â meddwl mai rhyw gimig yw'r lle. Mae'r bragdy, a fu gynt yn doiled y dafarn, yn bragu cwrw o safon ac mae'r dafarn yn cadw cwrw gwadd o bob rhan o Gymru a thu hwnt. Mae'n eironi fod yr adeilad bychan lle bu yfwyr gwrywaidd yn gollwng yr hyn mae cwrw'n ei gynhyrchu, bellach yn cynhyrchu diodydd sy'n achosi'r awydd i ollwng dŵr. Yn wir, enw gwreiddiol y bragdy oedd Bragdy Tŷ Bach. Mae gan y bragwr, Chris Giles, sydd hefyd yn rhedeg busnes dosbarthu cwrw traddodiadol y bragdai bach, y profiad a'r cefndir sy'n caniatáu iddo arbrofi gyda gwahanol fathau o hopys. Ei brif gwrw yw Cwrw Gwynant, ac mae'n bragu naw galwyn ohono unwaith yr wythnos. Ef ei hun wnaeth gynllunio'r cyfarpar bragu ac mae ei gynnyrch yn rhydd o unrhyw siwgr neu gemegolion atodol. Mae'r bragu yn cymryd tua phum awr a hanner gyda'r cwrw'n eplesu am dridiau neu fwy a'i gadw mewn casgen am tua phythefnos cyn iddo gael ei yfed.

Mae Bragdy Gwynant yn enghraifft berffaith o'r datganiad sy'n mynnu nad yw mawr yn gyfystyr â gorau. Ac fe enillodd tafarn Ty'n Llidiart wobr CAMRA fel tafarn orau Ceredigion ar sail ei ddarpariaeth o gwrw traddodiadol, sy'n cynnwys Cwrw Gwynant.

Nid Bragdy Gwynant yw'r unig fragdy bach yng Ngheredigion. Ym Mhentregât ger y Cei Newydd mae cwmni sy'n bragu cwrw cartref wedi mabwysiadu enw'r sir. Bragdy pum-casgen yw Bragdy Ceredigion sy'n bragu mewn hen sgubor. Yno defnyddir hopys o'r ansawdd gorau posibl i gynhyrchu Y Barcud Coch, Black Witch, Blodeuwedd, Y Ddraig Aur, ac Old Black Bull, sy'n stowt cryfder 6.2..

Gerllaw yn Llanarth mae bragdy Pen-lôn yn cynhyrchu cwrw grawn mewn poteli. Ymhlith cynnyrch Steffan a Penny Samociuk mae lager Ewes Frolic, cwrw ysgafn Lamb's Gold, cwrw cryf Ramnesia, Stowt Stock Ram, cwrw gwelw Tipsy Tup Pale a chwrw gwelw India Twin Ram, a enillodd Gymeradwyaeth Gwir Flas am 2005-06. Mae'r cwmni'n tyfu eu hopys eu hunain ac yn arbrofi â grawn traddodiadol Cymreig yn cynnwys Hen Haidd Enlli.

I fyny yn y gogledd mae Bragdy'r Mŵs Pinc ym Mhorthmadog yn bragu ers haf 2005, Mae'n fragdy deg-casgen ac yn un sy'n annog yfed call drwy beidio â gor-yfed. Mae'n cynhyrchu tri chwrw, Cwrw Madog a Cwrw Glaslyn, dau gwrw chwerw ac Ochr Dywyll y Mŵs, sydd, fel yr awgryma'r enw, yn gwrw tywyll. Mae cwrw tymhorol y cwmni yn cynnwys X-Mŵs Llawen ar gyfer y Nadolig, Cwrw Dewi Da ar gyfer Gŵyl Dewi a Cwrw'r Pasg.

Yn uwch i fyny eto, sefydlwyd Bragdy Ynys Môn yn 1999 yn y Talwrn, y cyntaf i'w sefydlu ar yr ynys ers 1984. Cynhyrchodd y cwmni amrywiaeth o gwrw yn cynnwys Amnesia, Enlli, Medra, Môn Seiriol, Seuruik, Sirol, Chwerw Sospan Fach, Stowt, Tarw Du a Wennol (Swallow).

Ar draws yr arfordir tua'r gogledd-ddwyrain ceir Bragdy Conwy yn ardal y Morfa o'r dref. Mae'n darparu cwrw casgen a chwrw potel gan gyflenwi tafarnau cymharol leol fel y Castell yng Nghonwy a Cobdens yng Nghapel Curig. Mae cwrw'r cwmni'n cynnwys Castle Bitter, Cwrw Mêl, ac Arbennig, sy'n gwrw tywyll. Mae hefyd yn darparu cwrw tymhorol fel Haul Dawns, gyda chryfder o bedwar y cant.

Sefydlwyd Bragdy'r Gogarth mewn hen feudy yng Nglan Conwy. Enillodd Extravagansa, cwrw'r cwmni, Bencampwriaeth Ffair Gwrw, Seidr a Pherai Leeds yn 2006.

Mae gan Ddinbych draddodiad hen a chyfoethog o fragu, ac ar ôl hirlwm, agorwyd Bragdy'r Bryn gan Geraint Roberts yn haf 2005 ar Stad Ddiwydiannol Colomendy. Cychwynnodd gyda deg baril yr wythnos, ond mae'n bosibl y bydd angen arno i ddyblu hyn.

Yn y Plasau ger Wrecsam bragir Plassey Bitter, ac yma mae'n bosibl o hyd prynu lager sy'n cario enw Wrecsam, y Royal Wrexham Lager. Sefydlwyd y cwmni yn 1985 gan y diweddar Alan Beresford, a fu unwaith yn fragwr ym Mragdy Border yn Wrecsam. Mae gan y bragdy stafell wylio yn ogystal â siop y cwmni. Gall Bragdy Plassey hawlio iddo gipio'r goron drifflyg gan iddo ennill Pencampwriaeth Cwrw Cymru deirgwaith yn olynol rhwng 1995 a 1997.

Mae Bragdy Plassey yn cynhyrchu hefyd Anadl y Ddraig, cwrw chwerw yn ogystal â'r Fusilier, sydd ar gael mewn casgen neu botel fel cwrw catrodol i'r Ffiwsilwyr Cymreig. Mae hefyd yn bragu Cwrw Tudno, gyda chryfder o bump y cant.

Er nad oes un bragdy mawr yn Wrecsam bellach, mae Pene (Penelope) Coles yn rhedeg menter fechan y Jolly Brewer yno ar gyfer ei busnes ei hun, gan fwyaf, gan gynhyrchu cwrw gydag enwau anarferol fel Jolly Dark Lager, Dusky Maiden, Lucinda's Lager, Taffy's Tipple, Taid's Fragrant Garden, Strange Brew a Diod y Grynaes. Nodwyd eisoes ei bod hi'n cydweithio â chefnogwyr pêl-droed Wrecsam.

Yn ôl yn y canolbarth ar stad ddiwydiannol Ffrwdgrech yn Aberhonddu agorwyd Bragdy Brycheiniog neu'r Brecon Brewery yn 2002 gan CH Marlow, sy'n gwmni cyflenwi enwog, Justin 'Buster' Grant radd MSc mewn bragu a distyllu ac mae ei fragdy deg casgen yn defnyddio cyfarpar o hen fragdy Penfro. Diolch i ymdrechion yr Aelod Seneddol ac Aelod y Cynulliad David Davies, mae cynnyrch y cwmni i'w gael ym mar Senedd Cymru.

*Cwrw potel o rai o fragdai bychain Cymru
ar werth ym Mlas ar Win, Llanrwst*

Enillodd y bragdy wobrau yn rheolaidd yn cynnwys y wobr gyntaf am gwrw chwerw gorau Cymru ddwy flynedd yn olynol. Mae'n cynhyrchu Brecon County Ale, Golden Valley, Red Dragon, Ramblers Ruin, Brecknock Best, Fan Dance, sy'n gwrw tymhorol, a The Spirit of the Dragon.

I lawr yn ddyfnach i'r de-ddwyrain ceir Bragdy Cwmbrân, wrth droed Mynydd y Maen, a sefydlwyd yn 1994 ac a drwyddedwyd ddwy flynedd yn ddiweddarach. Cychwynnodd Martin Lewis a Keith Gullick drwy fragu un math ar gwrw gan fwriadu datblygu'n raddol. Y bwriad oedd cyflenwi anghenion y gymuned leol gan ddilyn hen draddodiad canrifoedd drwy fragu'n lleol. Datblygodd y cwmni gan fragu erbyn hyn bymtheg brag gwahanol a llwyddodd y cynnyrch i dorri drwodd i gadwyni fel Wetherspoons, Sainsbury a Tesco. Prif frag y cwmni yw Crow Valley, a geir mewn casgen a photel. Mae hefyd yn bragu Deryn Du, sydd â blas mwyar. Mae cryfder y mathau o gwrw yn amrywio rhwng 3.5 a phump y cant.

Eisoes fe wnes gyfeirio at adfywiad Bragdy'r Rhymni. Digwyddodd hyn yn 2005 yn dilyn buddsoddiad o becyn gwerth £313,000 a wnaed drwy Ariannu Cymru a grant buddsoddiad gan y Cynulliad. Buddsoddwyd swm sylweddol gan y ddau a sefydlodd y busnes, tad a

Roedd Bragdy Tomos Watkin yn garreg filltir bwysig yn hanes y bragdai bychain

mab, sef Steve a Marc Evans.

Wedi'i sefydlu ym Mhennau'r Cymoedd ar Stad y Pant yn Nowlais mae'r cwmni'n canolbwyntio'n llwyr ar gwrw a gynhyrchir â llaw ac eisoes llwyddodd i dorri drwodd i gyflenwi gwerthiant i Waitrose, Asda a Spar. Yn ddiweddar allforiodd 5,000 o boteli i'r Iwcrain.

Mae brag y cwmni'n cynnwys Bevan's Bitter, er cof am bensaer y Gwasanaeth Iechyd. Mae Centenary 1905 yn dathlu bywyd a gwasanaeth Kier Hardy, a chyflwyno Castell Cyfarthfa i bobol Merthyr Tudful yn y flwyddyn pan dderbyniodd y dref ei Siartr Brenhinol. Mae Bragdy Rhymni hefyd yn cynhyrchu cwrw lager. Un o gynhyrchion mwyaf poblogaidd y bragdy yw'r farilan mini, cynhwysydd deniadol sy'n dal pum litr. Cyflenwir cwrw casgen a photel. Cyhoeddodd y cwmni hefyd ei fwriad i sefydlu cyfarpar potelu awtomatig cyflawn.

Yn y Rhondda, cychwynnwyd Cwmni Bragu Carreg yn 2004 yn

Nhreorci gyda'r bwriad o fragu lager Pilsner. Gwerthwyd cynnyrch y cwmni ar Faes y Brifwyl yng Nghasnewydd yn ystod blwyddyn gyntaf y fenter ar stondinau Guinness a Brains. Gwerthir cynnyrch y cwmni mewn tai bwyta fel Le Gallois, Blas a Capital Cuisine yng Nghaerdydd.

Ar arfordir Gwent yng Ngwynllŵg rhwng Caerdydd a Chasnewydd, sefydlwyd Bragdy Warcop mewn hen barlwr godro yn 1999. Mae enw'r cwmni yn acronym sy'n cynnwys llythrennau cyntaf aelodau o'r teulu, (W)illiam, y tad, (Ann), gwraig, (R)hian, merch, (C)eri, merch, (O)wain, mab a (P)icton, sef cyfenw'r teulu. Yn wreiddiol, ystyriodd y cwmni symud i Foscow i sefydlu bragdy ond cychwynnwyd yng Ngwent er mwyn magu profiad yn y busnes ac i brofi'r dŵr, fel petai. Mae gan y sefydlydd, William Picton radd mewn Cemeg ac arbenigodd ar ensymau genetig. Treuliodd bum mlynedd yn gweithio ym Moscow.

Dosberthir cwrw Warcop ledled Gwent a hefyd yn ardal Caerdydd ac mae'n darparu dros ddau ddwsin o fathau o gwrw wedi eu dosbarthu i bum categori yn cynnwys diodydd wedi eu seilio ar hopys chwerw tywyll, mwyn tywyll, lager a chwrw cryf ar gyfer digwyddiadau arbennig. Mae'r cwrw'n amrywio o ran cryfder o Pit Shaft, sy'n 3.4 i Deep Pit, sy'n bump y cant.

Un o'r bragdai bach mwyaf llwyddiannus yw Bragdy'r Bullmastiff yng Nghaerdydd. Diddorol nodi mae yma y ffilmir golygfeydd Bragdy Cic Mul Cwmderi ar gyfer Pobol y Cwm. Sefydlwyd y bragdy hwn ym Mhenarth gan werthwr llaeth, Bob Jenkins yn 1987. Prynodd yr offer oddi wrth gwmni Monmouth Fine Ales ac enwodd ei fusnes newydd ar ôl ei gŵn anwes. Cam naturiol wedyn oedd enwi un o'i ddiodydd yn Son of a Bitch. Enillodd hwn Fedal Arian yng Ngŵyl Gwrw Fawr Prydain yn Llundain yn 1996 ac enillodd cwrw arall y cwmni, Golden Brew, wobr gyntaf Cymru yn 1999 a 2000. Yn wir, enillodd y wobr gyntaf mor ddiweddar â'r llynedd.

Yn 1992 symudodd Bob y busnes gyda'i frawd, Paul i safle mwy o faint yn Grangetown gan gynhyrchu ugain casgen yr wythnos a chyflenwi anghenion tua 30 o dafarndai.

Yn 1996 sefydlwyd Bragdy Tomos Watkin y tu ôl i dafarn y Castell yn Llandeilo. Y tu ôl i'r fenter roedd Simon Buckley, y cyfeiriwyd ato'n gynharach. Yn dilyn anghydfod yn 2002, gadawodd Buckley. Yn y cyfamser fe aeth Tomos Watkin, a oedd wedi ei lyncu gan gwmni Hurns, ati i sefydlu bragdy newydd yn Abertawe fel rhan o gynllun ehangu gwerth £10 miliwn. Mae'n dal i fragu'r Cwrw Haf yn ogystal â Stowt Myrddin a enillodd wobr Gymreig CAMRA y llynedd, cwrw chwerw OSB, cwrw melyn tywyll Whoosh a Watkin BB, sef cwrw chwerw traddodiadol.

Bragdy sy'n wahanol i'r arfer yw Bragdy Bryncelyn yng Nghwm Tawe sy'n enwi'r rhan fwyaf o'i gynnyrch ar thema Buddy Holly. Mae enw'r bragdy, Bryncelyn, yn gyfieithiad Cymraeg o Holly Hill. Sefydlwyd y bragdy un-gasgen yn nhafarn y Wern Fawr yn Ystalyfera gan Will Hopton, sy'n ffan mawr o Buddy Holly, gyda'i wraig, Sandra ac un o selogion y dafarn, Robert Scott.

Cychwynnwyd gyda chwrw Buddy's Delight ond ehangwyd y ddarpariaeth i ddeuddeg cwrw gwahanol, tri ohonynt yn cael eu bragu'n rheolaidd a'r gweddill ar adegau arbennig. Enillodd cwrw'r cwmni bach nifer fawr o wobrau CAMRA a dewiswyd y Wern Fawr fel Tafarn y Flwyddyn gan y gangen leol o CAMRA a hefyd yn Dafarn Ranbarthol y Flwyddyn CAMRA am 2005.

Mae amrywiaeth cwrw'r bragdy yn cynnwys Buddy Marvellous, Oh Boy, Holly Hop, Peggy's Brew, Buddy's Delight, Cwrw Celyn, CHH, Rave On, Buddy Confusing, Feb '59, May B Baby a That'll Be the Sleigh.

Tafarn yw cartref Cwmni Bragu Abertawe (Swansea Brewing Company) sef y Joiners Arms yn Nhre'r-esgob. Yno darperir yn bennaf bedwar gwahanol gwrw, y Deep Slade Dark, Bishopswood Bitter, Three Cliffs Gold ac Original Wood, sydd â chryfder o 5.2 y cant. Cychwynnodd fel bragdy dwy-gasgen ond dyblodd ymhen blwyddyn.

Tafarn yw cartref Bragdy'r Nags Head hefyd yn Abercych, sy'n bragu ar ei chyfer ei hun. Arbenigir ar un cwrw, sef Old Emrys, sydd â chryfder o 3.8 y cant.

Mae dwy dafarn sy'n siario'r un enw yn bragu eu cwrw eu hunain sef y White Hart yn Llanddarog, Sir Gaerfyrddin ac ym Machen ger Caerffili. Yn y naill bragir Cwrw Blasus, ac mae'r dafarn ei hun yn dyddio'n ôl i 1371. Yn y llall mae Bragdy Carter yn bragu ei gwrw'i hun ac yn dyddio'n ôl i 1794. Ynddi mae paneli pren a achubwyd o'r hen long The Empress of France.

I fyny yn y Waunfawr ger Caernarfon yng ngwesty a safle gwersylla Parc Eryri, bragir cwrw traddodiadol yn cynnwys y Welsh Highland Bitter i ddathlu ail-agor lein Rheilffordd yr Ucheldir ym mis Awst 2000. Saif un o orsafoedd y lein fach gerllaw.

I gloi, dyma ddyfyniad o *The Real Ale Guide* am eleni: 'Ni ellir esgusodi'n hawdd dafarn sydd ddim yn gwerthu cwrw traddodiadol, ond o leiaf mae'n hawdd ei hosgoi. Mae tafarn sy'n gwerthu cwrw'n wael yn ymddangos i mi fel petai'n cyflawni pechod llawer mwy.'